Alice et le prince barbant

Alice
et le prince barbant
Quadras, botox et sex-appeal

ROMAN

Préambule

Une mer d'huile, Colombes City ?

Tout est-il redevenu calme à Colombes City ? FAUX. Il y a de l'électricité dans l'air. François, mes amis, mes voisins, mes connaissances sont à cran. Il n'y a que mes enfants pour être indifférents à ce remue-ménage qui se déroule sous leurs yeux.

Ai-je enfin accepté mon âge ? FAUX. Je soustrais systématiquement deux années quand ce n'est pas trois à mes 43 ans... pardon, 44.

Mes vertiges ont-ils disparu ? VRAI. Maintenant, je suis plutôt migraineuse ascendant fatiguée.

Mon ex-boss alias Dennis Quaid ne fait plus partie de mon lexique ? FAUX. Je le maudis dès que j'ai une minute à perdre. Heureusement, j'ai d'autres chats à fouetter.

Qu'il m'ait traitée de trop vieille ne me fait plus ni chaud ni froid ? FAUX. Je le hais.

Qu'il m'ait mise au placard m'est indifférent ? FAUX. Je lui en voudrai toute ma vie.

Ce qui aurait pu me dévaster m'a rendue plus forte ? VRAI... apparemment. Plus personne n'ose me parler de mon anniversaire.

Cette épreuve humiliante m'a-t-elle permis de comprendre enfin que vieillir n'était pas une faute grave ? FAUX. C'est toujours de très mauvais goût. Il n'y a qu'à regarder les pubs Capture totale de Dior où Sharon Stone (53 ans dans un mois) a maintenant l'air d'en avoir 18...

François, mon cher et tendre roc, est-il parti pour une maîtresse de vingt ans plus jeune que moi ? FAUX. Moi, à sa place, je ne me serais pas gênée... Je ne sais toujours pas comment il a fait pour tenir le choc.

Mes deux mutants, Camille et Ethan, ont-ils été solidaires ? VRAI. C'est maintenant qu'ils me le font payer.

Mes amies, Garance, Sonia, Delphine, se sont-elles révélées à la hauteur de mes imprévisibles sautes d'humeur ? VRAI. Pas le choix en même temps, nous sommes dans le même état.

Ma quarantaine fracassante m'a-t-elle ouvert les yeux ? FAUX. Je suis désormais myope *et* presbyte.

Maintenant que j'ai mangé le morceau, suis-je enfin une trop vieille dans le coup ? FAUX. Un jour sur deux je suis excédée de ne pas avoir 30 ans.

Que pourrait-il m'arriver de mal ? Rien, me dis-je en me touchant la tête, du moment que les miens sont en bonne santé, comme dirait ma mère... VRAI. Mais quand même, j'aurais 10 ans, ce serait mieux. J'ai indubitablement quelque chose d'Alain Souchon.

De nouvelles fissures apparaîtraient-elles dans mon environnement ? VRAI.

Mes doigts tapotent nerveusement les touches de mon iPhone pour tenter de joindre Camille et

Ethan, dont l'adolescence s'exprime maintenant sans aucun complexe. François semble avoir la tête ailleurs. **VRAIIIII**. Sa boussole se détraquerait-elle ? Non, pas lui...

Le calme avant la tempête

9 mars. Moi qui pensais être le seul esprit dérangé dans cette famille, je dois désormais compter avec François. Son imagination est bien plus fertile que la mienne. À croire qu'il l'arrose tous les matins.

Sans prévenir, le texto est devenu le mode de communication le plus répandu au sein de la planète. Ma tribu n'échappe pas à la règle.

Ethan s'en sert pour me déclarer son amour filial : « Besoin d'un chèque de 60 € pour la batterie et de 10 intercalaires pour grand classeur. Merci mame -) »

Garance pour me rassurer : « Mon code ? 1945, tu sais bien... ta date de naissance ! »

Camille pour m'embrasser tendrement : « Plus de St Moret dans le frigo... T'as encore oublié ? »

Le service clients Orange pour me proposer un forfait en adéquation avec le montant exorbitant de mes communications : « Votre facture s'élève à 298,27 €. »

François pour me déclarer sa flamme : « Tu es passée chercher mes costumes au pressing ? »

Oui, ce soir, François, l'amoureux du costume à la coupe impeccable, l'homme qui bâtit sur le long terme, prêche la stabilité à tout-va (surtout par ces temps de crise), prône la fidélité et l'investissement professionnel, n'y est pas allé avec le dos de la cuillère :

— Alice, ça y est. Je vais quitter mon boulot.

Je le regarde les yeux écarquillés.

— Quoi ?

— Pendant vingt ans je me suis tenu tranquille, professionnellement et personnellement. Maintenant, c'est fini. Tes difficultés l'année dernière, ta déprime m'ont mis les yeux en face des trous. Nous allons changer de vie !

— Tu veux dire que c'est *moi* qui ai tout déclenché ?

Il acquiesce.

— Ne me dis pas que tu n'as jamais rêvé d'autre chose. Un con t'a dégommée comme un pion, depuis tu galères entre ta peinture et tes piges...

— L'an dernier j'étais mal, c'est vrai, mais plus maintenant...

— Toi qui as toujours trouvé que nous nous embourgeoisions, que notre vie n'était pas assez folle, argumente mon tendre mari, tu as fini par me convaincre. Nous sommes à la moitié de notre vie... Il faut que ça bouge !

— Ça a pourtant pas mal tangué ces derniers mois...

— J'ai bien réfléchi, poursuit-il sans m'écouter, il nous faut une vraie coupure. Comme un tour du monde à la voile rien que nous quatre.

— Pardon ???

— Je me suis déjà inscrit au permis bateau, déclare-t-il, s'attendant à des applaudissements de ma part alors que je le regarde effarée. Tu nous imagines tous ensemble à l'assaut des mers ? s'enthousiasme le futur commandant de bord.

Puis, comme possédé, François s'assoit à mes pieds :

— Marc Twain a dit : « Dans vingt ans, tu regretteras davantage les choses que tu n'as pas faites que celles que tu as faites, alors largue les amarres, quitte le port, explore, rêve, découvre. » C'est tellement vrai...

— Très joli. Mais à 15 et 17 ans, tes enfants n'en ont rien à cirer. Ils veulent leurs potes, leur ordi, et surtout nous voir le moins possible. Tu les imagines bloqués avec nous deux en plein flip parce que la grand-voile se déchire ?

— Justement, ils n'auront pas le choix ! Nous nous connaîtrons mieux, leur enseignerons la vraie vie, la liberté, la pêche...

— Arrête de divaguer, François !

— T'inquiète, j'ai d'autres plans de rechange. Je t'en parlerai...

— Pas tout de suite, j'ai le mal de mer.

— Kersauson aussi, ça ne l'a pas empêché d'être un grand marin ! se redresse-t-il grandiloquent.

— C'est ça, compare-moi à Kersauson...

Suis effondrée. Imagine déjà le froid, le vent et le déferlement des vagues sur notre pauvre coquille. Et nous, happés par la mer, sans gilets, parce que les gilets, c'est bien connu, ça ne sert à rien (en Corse, sur notre Zodiac, on n'en porte

jamais). Frissonne malgré moi alors qu'il fait 22°
dans la pièce.

— Ça ne va pas, Alice ? réalise soudain le
conquistador.

— Quand je pense qu'en Corse, je pleure dès
que je ne vois plus la côte...

Glacée, je me dirige machinalement vers le
thermostat afin de remonter la température,
quand François me coupe en plein élan :

— Ah non, il faut qu'on commence à s'habituer
aux grands froids, ordonne le Rescator. Laisse ce
chauffage tranquille !

— Tu ne veux pas non plus qu'on se lance des
seaux d'eau glacée à la gueule pour s'habituer
aux vagues ?

RÉCAPITULONS

Que vaut-il mieux, un homme qui ne déraille
jamais ou un sage qui perd la raison ?

J'ai longtemps cru que vivre en compagnie
d'un homme stable, pondéré, me mettrait à l'abri.
Mais de quoi au juste ? Mieux vaut flirter avec
le danger. Le seul hic, c'est le bateau. Le vélo
encore, je ne dis pas.

Une chose est sûre, mon tsunami personnel
résonne autour de moi. Notre famille est en plein
chaos. Et Félix ? Que va devenir Félix dans cette
course folle autour du monde ?

Le verre volé

10 mars, 20 heures. Retrouve avec soulagement mon équipe. Fidèles au poste, Sonia, Delphine, Garance ont répondu à ma convocation désespérée. Mon dernier pot entre copines avant le grand départ ?

Comment ferai-je en pleine mer sans textos ? En attendant, les SMS s'entassent dans ma boîte.

François me prévient : « Viens de réserver cours de voile à Trouville pour dimanche. Dis-le aux enfants. »

Sonia me tanne : « T'as reçu les ventes privées de Vanessa Bruno ? »

Camille me prépare : « Tu vas être surprise, Mam, suis allée chez le coiffeur ! <3 »

Je suis là depuis dix minutes, lorsque mes amies arrivent, et me serrent dans leurs bras comme si mes parents venaient de brûler vifs dans un Sonacotra.

Sonia, compatissante, me prend la main en me jurant qu'elle ne le laissera pas faire.

— Ce qu'il te propose, c'est un suicide collectif ni plus ni moins !

Garance, que nos simagrées agacent :

— On se calme. Et d'une, ce n'est pas fait, et de deux, c'est plutôt bien à nos âges d'avoir envie d'une nouvelle vie. C'est pas Victor qui me proposerait ça...

— Oui, en même temps, Victor..., en profite Delphine.

— Quoi Victor ? aboie Garance.

— Les filles, on se détend, coupe Sonia qui déteste les conflits. On est là pour essayer de comprendre quelle mouche a piqué François, pas pour nous étriper sur nos crises conjugales...

Delphine hèle le serveur et commande quatre Corona.

— Justement, c'est *ma* crise qui aurait déclenché ses envies d'évasion...

— Oui, mais le déclic ? Un tour du monde, ce n'est pas une virée sur la côte normande !

— Je crois que c'est aussi à cause des enfants, ils sont devenus tellement autonomes...

— Que ça lui a donné l'idée de vous enfermer tous les quatre dans une boîte à sardines à l'abri du temps qui passe ? m'attaque Garance.

— Et du monde extérieur qui détruit le noyau familial, poursuit Delphine, lyrique.

— Merci, les filles, pour le décryptage, mais je fais quoi, moi ?

— À mon avis, se lance Sonia, ce n'est qu'une lubie. Il est à la fin d'un cycle, comme nous tous. Nos enfants ne sont plus nos bébés, nous avons vingt ans de vie commune derrière nous. Nous sommes à la croisée des chemins.

— Elle a raison, approuve Delphine, c'est l'heure des bilans. Les hommes aussi en sont victimes.

— Surtout les hommes ! précise Garance, toujours à la pointe de l'information.

J'écoute mes copines déblatérer sur l'inextricable cocktail composé des « Qu'avons-nous fait de nos vies ? », « Le temps a passé si vite » et « Qu'allons-nous faire de nos peaux ? » en biberonnant consciencieusement ma Corona, puis finis par lâcher, songeuse :

— Si encore il m'avait annoncé qu'il avait une maîtresse, là au moins j'aurais pu me battre, mais contre un bateau à voile...

— Si j'étais toi, dit Sonia, je ferais en sorte qu'il n'ait plus envie de partir... Réinvente votre vie à deux.

— Ah oui, et tu fais comment ? Quand on est englués dans le quotidien depuis des lustres et qu'on se connaît par cœur ? s'enquiert Garance.

— En retrouvant une certaine fraîcheur, tente Delphine. En dînant en amoureux, en improvisant des soirées, en le surprenant, en réalisant ses rêves.

— Et pourquoi pas lui proposer de coucher avec deux filles tant que tu y es ? je réponds en repensant à un sondage sur les fantasmes préférés des Français que j'ai lu dans *60 millions de consommateurs*.

À notre troisième tournée de Corona, nos iPhone 4G vibrent presque en chœur. Ce sont nos enfants que nous lisons plus que nous ne les voyons. Nous échangeons nos lectures...

« Je dors chez Apolline. Je sais, j'aurais dû te prévenir avant, je sais, j'ai des maths à faire, je sais, papa ne sera pas d'accord. Dis-lui stp... », signé Ethan.

« Ne me faites pas à manger. Ce soir je dîne avec Paul ☺ », signé Camille.

« Mam, passe me chercher chez Davy pour nous emmener aux Planches », signé Dan.

« Ce soir je dors chez Jean-Seb », signé Rafa.

« Je sors de la fac dans une heure et après je vais à mon cours de théâtre, je serai à la maison vers minuit, t'inquiète », signé Thomas.

« J'anime un débat à Sciences-Po, dis à ma marraine que Camille vient avec nous finalement... bisouxxx », signé Jules.

Etc.

Au final, aucune de nous ne sait où sont ses enfants, qui, il y a tout juste cinq ans, ne nous lâchaient pas d'une semelle et grimpaient sur nos genoux en quémandant un « câlin maman »... Quelle importance, ils nous ont « prévenues »...

Un cordon ombilical virtuel et moderne. Pour ne pas perdre la face.

Et moi, je commence à avoir une petite idée de « comment réinventer mon couple » pour ne pas mourir en pleine mer.

RÉCAPITULONS

Suis-je foutue, les filles ?

Entre 40 et 50 ans, nous sommes en passe de devenir, au mieux, des femmes formidables qui avons accompli notre devoir de mères, d'épouses et de travailleuses.

Nos aînés chéris viennent de franchir le cap du bac. Ils sont passés à la suite : leur vie, ils ne nous en céderont pas une lichette. Pas de bol, leur vie c'était la nôtre.

La solution ? Penser à nous. Même si jusqu'à présent j'ai toujours eu le sentiment de penser à moi, puisque ma vie c'était eux.

Vous me suivez ?

Et nous là-dedans ? Nous ? Nous allons devoir trouver vite fait une issue avant que nos hommes ne s'en occupent. Certains décident de faire le tour du monde, d'autres d'avoir une maîtresse...

Poursuivre la construction de la sagrada familia selon les plans du siècle dernier ne me paraît pas raisonnable...

Tout détruire et recommencer ? J'en suis incapable.

Réinventer son couple ?

Personnellement, ai choisi cette dernière proposition. Pas gagné.

Leçon n° 1 : créer la surprise

12 mars, 19h30. Je vais inviter François au théâtre.

Entre-temps, mes amies et moi parons au plus urgent comme l'indiquent nos messages du jour.

Garance échange « invits Zadig ET Voltaire contre cartons Vanessa Bruno ☺ ».

Sonia regrette : « C'est con, les soldes presse agnès b. c'était hier ☹ »

Delphine devine : « Ai reçu celles de Gérard Darel. Trop mémère ? »

François me contemple, ahuri.

— Mais qu'est-ce que tu fais là ? Tu n'es pas venue me chercher au bureau depuis dix ans. Qu'est-ce qui te prend ?

Moi, gonflée à bloc :

— J'ai décidé de prendre en main notre couple. Nous allons au théâtre !

Lui, interloqué :

— Au thé-âtre ? La dernière fois, je me suis endormi...

Moi, imperturbable :

— Là, tu ne risques pas, je t'emmène voir *Les hommes viennent de Mars, les femmes viennent de Vénus*. Allez, assieds-toi et arrête de me regarder comme si je t'annonçais que j'attendais des triplés...

— Super, rumine-t-il en s'installant à la place du mort.

Moi, très à l'aise dans ma C2 que je conduis en temps normal les yeux fermés :

— Il paraît que c'est très drôle. La pièce fait un carton depuis des années. Tu as passé une bonne journée ?

Lui, le nez dans *Le Monde* :

— C'est con, ce soir y avait un match sur Canal.

Moi, toujours sur un nuage à l'idée de cette soirée qui nous attend :

— C'est pas grave. Du foot, il y en a tous les soirs...

Lui, m'indiquant le conducteur que je m'apprête à doubler :

— Mets ton clignotant, tu lui coupes la route...

Moi, à peine déstabilisée (il m'en faut plus pour perdre le contrôle de mes affects et de ma voiture) :

— Ah, pardon, je suis tellement distraite.

Lui, grognon :

— Tu n'es pas distraite, tu es dangereuse.

Légèrement énervée maintenant :

— Arrête de me chercher avec ça, je conduis très bien.

Lui, en mode moniteur d'auto-école :

— Pourquoi tu accélères ? Le feu est rouge là-bas...

— Je ne vois rien, j'ai oublié mes lunettes...

Puis je tente de faire diversion :

— Les ventes presse ont commencé. J'y vais demain avec les filles.

— Encore ? Mais c'est tout le temps... Regarde devant toi !

Désormais excédée et certaine que je vais tuer quelqu'un :

— Oui, chaque année, à la même époque...

— Accélère et tourne à droite, on va prendre par là, c'est bouché. T'as pas un plan dans ta voiture ? Tu ne la nettoies jamais ?

Ai failli oublier l'inspection des services d'hygiène. Ma voiture est une poubelle, il faut bien l'avouer. Tente une dernière fois d'alléger l'atmosphère chargée à bloc de CO_2 :

— Au fait, je ne t'ai pas dit, ma mère vient passer le week-end à la maison.

Lui, de plus en plus désagréable :

— Non, pas elle ! Elle va encore te pourrir...

Moi, feignant de ne pas comprendre :

— Elle est adorable en ce moment...

François, qui connaît ma mère par cœur :

— Oui, c'est le mot. On devrait l'adopter comme chienne de garde. Tu vas rester en seconde tout le trajet ?

Moi, estomaquée au point de me tourner vers lui sans plus faire attention à rien :

— Mais je croyais que tu appréciais ma mère...

Lui, apparemment content de lui :

— Je suis odieux, hein ? Regarde devant toi...

— Stoooooooop ! Je n'ai pas 16 ans, je conduis comme je veux, et si tu n'as pas envie d'aller au théâtre, tu descends et tu prends le métro pour rentrer ! Merde !

Et là je cale.

Pour le coup, François se bidonne à côté de moi.

— Vraiment, les voitures, c'est pas ton truc. Allez, calme-toi, nous sommes presque arrivés et en plus on a une demi-heure d'avance, mon ange.

Mon ange, mon ange, j'explose :

— Vous êtes tous des malades en bagnole ! Pas qu'en bagnole, d'ailleurs ! Je n'ai plus aucune envie d'aller au théâtre avec toi.

Lui, qui comme par enchantement vient d'oublier toutes les horreurs qu'il a proférées :

— Mais pourquoi tu t'énerves ? Tout va bien. Tiens, il y a une place, là. Vas-y. Tu nous la gares royale, hein, ma puce ?

Trois créneaux plus tard :

— Tu l'as eu au bout de combien de fois ton permis ? Tu sais que si tu le repassais, tu ne l'aurais pas...

Moi, fatiguée de cette conversation qui me confirme ce que je sais déjà : mon mari est en pleine crise de la quarantaine.

— Laisse-moi tranquille, j'ai mal aux bras.

— Je suis content en fait de cette petite virée...

Moi, qui n'ai plus du tout envie d'aller où que ce soit :

— Tiens, prends les places, j'arrive. J'appelle les enfants pour vérifier que tout va bien.

Je suis encore au téléphone en train de décrypter ce qu'ils me racontent lorsque François revient en brandissant les deux billets.

— Alice, t'es vraiment nulle. C'était à 20 heures, la pièce. On fait quoi maintenant ? Et mon match ?

C'en est trop. Je sors de la voiture, lui mets les clés de la C2 dans la paume de la main.

— Va voir ton match, moi je vais prendre l'air.

Après trois tentatives pour me persuader de rentrer dans la voiture, François comprend que c'est inutile. Il part.

Je m'assois à la première station de bus et appelle Garance pour lui raconter cet épisode d'une banalité pathétique, puis conclus :

— Finalement, je ne vais pas réinventer mon couple, et c'est tout seul qu'il va le faire, son tour du monde…

— Vous alliez voir quoi ?

— *Les hommes viennent de Mars, les femmes viennent de Vénus.*

— Ah, lâche Garance un poil ironique.

RÉCAPITULONS

Pour réinventer la vie à deux il faut être… deux.

Ne dépensez en rien votre énergie inutilement. Vous en aurez bientôt besoin, croyez-moi.

Mort à Trouville

13 mars, à l'aube. Premier cours de voile. Merci, François, pour cet avant-goût de notre future vie...

Suis condamnée à supporter François, Camille et Ethan qui chantent à tue-tête le best of de Michel Jonasz et ses vacances au bord de la mer quand à 8 h 53 me parvient ce message : « Ne ratez pas VENTE PRIVÉE LOLA JONES : – 75 % sur tous les articles, dernier jour ce samedi ! » Mon « Qu'est-ce que je fous là ? » se confirme.

Après deux heures de voiture sous une pluie battante, et sans un mot (n'ai toujours pas digéré mon cours de conduite accompagnée), les Beatles sortent de la voiture euphoriques, leur père, ridiculement enthousiaste, sur les talons.

Nous voici arrivés au club de voile des Roches Noires.

François sort les combinaisons du coffre et les tend aux mutants qui s'en emparent, admiratifs :

— Pape, tu m'as carrément pris une combi Billabong ! le sanctifie Ethan.

— Et moi une Ripcurl ! le canonise Camille.

De mon (saint) siège (il n'est pas question que je participe à cette mascarade), je contemple, béate, ce spot publicitaire.

— Quel talent, dis-je ironique à François, tu n'aurais pas des palmes Louboutin pour moi ?

— Allez, mame, viens avec nous, me lance Ethan, prêt à en découdre avec les étrilles (il y en a beaucoup à Trouville, des étrilles).

— Oui, dès qu'on fait un truc marrant, tu restes dans ton coin, allez, viens ! me supplie Camille.

Je hausse les épaules :

— Un truc marrant ?

— Oui, marrant, m'affronte ma fille. Comme en Corse quand on part dans la montagne sauter de rochers hauts de 5 mètres, ou faire du surf à Hossegor dans des vagues de 3… Marrant quoi.

Merci, Camille, d'évoquer ces heures entières passées chaque été à me demander lequel des trois va revenir entier de l'escapade. Regrette soudain amèrement le temps où une piscine gonflable et deux vieilles pelles les occupaient des après-midi entiers.

François renchérit en me regardant du coin de l'œil :

— Votre mère, dès qu'elle n'a pas sa chaise longue, son bouquin, sa sieste…

Ne réponds pas, sinon c'est son pull Saint James que je lui fais avaler. Tente plutôt de raisonner les enfants…

— Vous n'allez tout de même pas prendre de cours par ce temps ?

François, dont la casquette à la Corto Maltese m'énerve au plus haut point :

— Pourquoi ? C'est idéal. Des conditions extrêmes... Et puis si c'était dangereux, ils ne sortiraient pas les bateaux, regarde, me crie-t-il pour se faire entendre en m'indiquant de minuscules points sur la mer...

— Toi, je ne t'ai rien demandé. Les enfants, n'y allez pas, restez avec moi.

Nous y sommes. *Kramer contre Kramer*. Comprends à leur attitude décidée que si Camille et Ethan devaient choisir leur camp aujourd'hui, ce serait sans aucun doute lui l'élu.

Me rabats impuissante sur mon cher mari :

— Mais enfin, François, tu ne peux pas emmener les enfants dans cette tempête ! je crie sous la pluie qui me gifle de toutes parts.

— Mais si, hein, les enfants ?

Les moussaillons hochent la tête, inflexibles.

L'eau glacée semble agir sur eux comme un anesthésiant. N'ai plus qu'à plier bagage. À moins que... Les enfants attendent peut-être que je les tire de ce mauvais pas.

— François, ça suffit ! je tente une dernière fois, tandis qu'ils rejoignent le moniteur qui me fait un petit signe de la main :

— Vous ne venez pas, vous ?

Je m'approche de lui, suppliante :

— Faites attention à eux.

— Ne vous inquiétez pas, ma petite dame, je vous les rends vite. Si nous ne sommes pas revenus d'ici une demi-heure, vous appelez les secours..., lâche-t-il avec son rire gras.

Le con. Reviens vers la voiture pour fuir ce drame que je n'ai pas su éviter. Tourne une dernière fois la tête. Les trois rient déjà comme des baleines aux anecdotes aquatiques de l'homme de l'Atlantide.

Moi, je travaille ferme du chapeau. Ne vois plus que leurs cadavres ramenés vers le rivage.

Mes enfants... C'est vrai, en ce moment, je suis un peu leur paillasson... Mais ils sont délicats au fond... Se noyer à Trouville alors qu'ils avaient toute la vie devant eux. Camille aurait pu être une grande avocate, Ethan un grand batteur. Il faut que je me calme. Après tout, le drapeau sur la plage n'est qu'orange.

Mais le vent est violent, non ? Et cette voile blanche qui tangue, et ces... c'est quoi, ces vagues énormes là-bas ? C'est monstrueux ! Et François qui a déjà failli y passer avec sa pneumonie, il y a sept ans... C'est vrai, il est chiant en ce moment, mais pas au point de mériter de disparaître englouti...

— Coucou, mame ! Ça va ?

Je sursaute comme si trois fantômes venaient d'ouvrir ma portière.

— Ah, mais vous êtes déjà là ? Il ne vous est rien arrivé ?

— Que voulais-tu qu'il se passe ? s'enquiert Camille.

— Mais ce vent, ces vagues ?

— Mame, on avait de l'eau jusque-là, me dit Camille tout en montrant le haut de ses cuisses.

— On s'est juste entraînés au bord, enchaîne Ethan.

— C'était une mise en bouche comme dit le mono, me lance Camille en rangeant sa combi. Pape est très à l'aise sur le bateau...

RÉCAPITULONS

Ça, c'est fait.

Ne partirai jamais faire le tour du monde avec qui que ce soit.

Douée pour le bonheur !

14 mars, 10 heures. Pas de texto aujourd'hui : personne ne m'aime ?

Au marché de Neuilly, absorbée dans la contemplation des poulets qui rôtissent, alignés deux par deux, dans un mouvement lent et régulier, je me demande ce qui pousse les hommes et les femmes à vivre en couple, à fonder une famille. Surtout pendant vingt ans. Oui, deux ans, c'est mignon, cinq ans, c'est frais, dix ans, c'est du sérieux, vingt... c'est de l'entêtement ! Mais je fais partie des résistantes. Une Brigitte Bardot pour la protection des couples en voie d'extinction. Les mots « compromis », « arrangement », « concession » ne sont pas une fatalité. Oui, je lutterai jusqu'au bout pour que mon mariage perdure. Et j'aiderai mes amies à rester dans le droit chemin de la construction de leur vie.

J'en suis là de mes élucubrations dominicales quand on me tapote gentiment l'épaule.

— Alice ! me lance une grande bringue que je reconnais immédiatement.

— Fanny ! C'est fou de te voir ici ! En dix ans, tu n'as-pas-chan-gé ! je mens éhontément en fixant ses poches sous les yeux.

— Ah, si tu savais, je suis tellement heureuse ! Je viens de divorcer. En-fin !

— Mince, Michel et toi alors...

— Je n'en pouvais plus. Je ne sais même pas comment j'ai pu tenir autant d'années avec lui. Vingt-cinq ans, tu te rends compte ? Vingt-cinq années de gâchées ! Tout ce temps à rattraper ! Au fait, tu viendrais à ma divorce party ?

— Pardon ?

— Je fête mon divorce dans mon nouvel appartement dans trois semaines. Viens !

— Pourquoi pas... Mais vous aviez l'air si bien ensemble avec Michel... C'est dommage...

— Ma pauvre chérie. Tu sais ce que c'est, les enfants, le quotidien, ce n'était plus possible. C'est moi qui ai fini par prendre la décision. Et François, comment va-t-il ? Toujours ensemble vous deux ? m'éclabousse-t-elle avec un naturel désarmant.

— On fait aller, dis-je, un peu déstabilisée par tout ce bonheur de jeune divorcée que Fanny me verse sur la tête. Mais qu'est-ce qui a déclenché ta décision ?

Elle, du tac au tac en s'appuyant de tout son poids sur mon bras :

— Le jour où j'ai compris que notre vie était une liste interminable de concessions. Surtout de mon côté.

Moi, comme si je récitais un poème appris par cœur en CP :

— Ah oui, c'est terrible ça... Il ne faut surtout pas se laisser engluer par le quotidien, les habitudes, ne jamais accepter les compromis...

— Exactement ! Et tout ce qui m'arrive, c'est grâce à toi !

Moi, abasourdie :

— Ah bon ?

— Mais oui, tu disais toujours : « Le jour où mon cœur ne battra pas plus vite quand François rentrera le soir de son travail, je partirai. »

— J'ai dit ça, moi ?

— Tu m'as ouvert les yeux. Pas qu'à moi d'ailleurs... Tu te souviens de Phane et de Marie-Laure ?

— Vaguement...

— Eh bien, grâce à toi, elles aussi ont quitté leurs maris...

— Ahhh ! dis-je, désormais responsable de trois divorces. Et tes enfants, ils n'en ont pas trop souffert ?

— Les enfants ? Ils me remercient tous les jours. Enfin, quand ils reviennent de l'internat. Oui, je ne t'ai pas raconté, dit-elle en s'accrochant de nouveau à mon bras, je les ai envoyés à Périgueux l'année dernière dans un établissement d'excellence. Un soulagement pour tout le monde. Et toi ?

— Nous ? je fanfaronne. Nous partons faire le tour du monde à la voile, tous les quatre.

— Tu as toujours été douée pour le bonheur !

Fanny, soudain pressée, me serre dans ses bras, et part, sautillante, vers son nouveau destin.

Mon poulet tout chaud contre la cuisse, la tête pleine de sentiments contradictoires, je me jette sur mon iPhone et m'assois à la terrasse de Durand Dupont, THE café branché de Neuilly.

— Un lait orgeat, s'il vous plaît !

Je dérange Garance en plein bain pour lui annoncer la nouvelle.

— SOS Amitié bonjour ! Tu ne connais pas la meilleure ? Fanny, tu te souviens ?

— La grande gigue insupportable ?

— Figure-toi qu'elle a quitté Michel. Elle est aux anges !

— Il doit être soulagé, ce qu'elle a l'air chiant !

— Apparemment, c'est plutôt lui. Elle m'a même remerciée ! Il paraît que c'est moi qui lui ai ouvert les yeux.

— Toi ? Je ne vois pas le rapport.

— Si, tu te souviens de ma phrase préférée : « Le jour où mon cœur ne battra pas plus vite quand François...

— ... rentrera le soir de son travail, je partirai », complète Garance, théâtrale, entre deux clapotis. Tu nous en bouchais un coin avec ta devise de midinette ! Heureusement qu'on ne t'a pas toutes écoutée ! Elle est con, cette Fanny !

— Ma devise de midinette comme tu dis, elle a agi sur deux autres de ses copines ! Elles sont également parties, je réponds, encore toute chose à l'idée d'être à l'origine de tant de ruptures...

— C'est ce que je dis, Fanny et ses copines n'ont pas de cerveau ! Comme si ton cœur battait chaque fois que François franchissait le pas de ta porte ! Après vingt ans !

Moi, soudain vexée :

— Mais si, il bat toujours ! Enfin, moins en ce moment...

— Arrête... Tu n'as plus besoin d'en faire des tonnes, on le sait qu'on se fait tous bouffer par le quotidien...

— Parle pour toi ! Moi je ne me laisserai pas entamer !

— Oui, toi tu es différente, tu es une missionnaire de l'amour, une...

— Ça va, ça va. En tout cas, mieux vaut voir Fanny le moins possible. Elle est tellement épanouie qu'elle donne presque envie de quitter homme et enfants...

— C'est marrant, j'ai entendu la même chose sur France Inter. Une étude démontre que plus on discute avec des divorcés, plus on a envie de suivre leur exemple.

— C'est exactement ça ! Tout à coup, je me suis sentie ringarde... Inintéressante et prévisible avec ma petite vie rangée sur une étagère...

— Pardon, Alice, mais j'ai connu plus prévisible que toi...

RÉCAPITULONS

Au rythme d'un divorce sur deux en grande agglomération, les couples se quittent en moyenne au bout de trois ans de mariage. Si j'avais réagi plus tôt, j'aurais pu avoir six maris et des poussières... Me sens irrémédiablement has been.

Ma maison ! un château hanté !

16 mars, 21 heures. Ma famille se disloque comme une vieille poupée Barbie. Seuls nos échanges de textos attestent que nous vivons sous le même toit.

Textos du jour

D'Ethan : « Je dois absolument dormir encore une nuit chez Apolline avant notre départ en bateau. C'est une question de vie ou de mort. »

De Camille : « Dis, l'histoire du tour du monde à la voile de papa, c'est une blague ? :-(»

De Garance : « Le no-shopping, ça existe ? »

François pose sur la table du salon les trois livres qu'il vient d'acheter à la Fnac. *Un tour du monde en 80 escales*, *Le Vieil Homme et la mer* et *Le Silence de la mer*.

L'éclate.

Je l'accueille, mordante :

— Quelle bonne idée, François, moi qui me demandais quoi lire en ce moment…

Lui, trop satisfait pour entendre mon ironie :

— Génial, non ? Ça va permettre aux enfants de mieux visualiser.

Moi, toujours moqueuse :

— Trouville leur a déjà donné très, très envie...

— Où sont-ils d'ailleurs ?

— Je ne sais pas.

— Les deux monstres font un peu ce qu'ils veulent en ce moment, non ? s'informe François. Il va falloir resserrer les boulons. Que tu sois plus sévère. Vérifier les devoirs, les allées et venues, décrète le chef des armées.

— Avec toi c'est tout de suite le contrôle de police. T'as qu'à le faire, toi, je n'ai plus envie de jouer au gendarme !

— En tout cas, si l'objectif était d'en faire des êtres libres, on a gagné, ils se foutent de tout. Ils ne nous appellent même plus mamounet et papounet ! regrette François.

— Dire qu'ils vont bientôt quitter la maison, je lâche la larme à l'œil. Je ne pensais pas que ce serait aussi rapide.

Au même moment, Ethan entre, jette son sac et son blouson par terre, se baisse pour m'embrasser, puis se penche sur la joue de son père.

— Bon, j'vais m'coucher, j'suis mort.

— Mais il est seulement 10 heures ! Tu ne veux pas grignoter quelque chose ?

C'est tout ce que je trouve à lui proposer pour le retenir quelques minutes.

— Mame, j'suis vraiment dead là... Et puis j'ai déjà dîné au grec avec Clément et Adrien.

— Du grec ? Mais c'est super gras, chéri...

Camille descend de sa chambre, fait un petit tour devant nous :

— Je suis bien habillée ? Je vais chez Margaux, m'attendez pas, j'sais pas à quelle heure je rentre. Bisous mame, bisous pape !

La porte de la chambre d'Ethan et celle de l'entrée claquent en chœur.

— Il y a un vrai problème dans cette maison, je marmonne tout en regardant Castle draguer éhontément Beckett sur France 2.

Après les enfants, c'est au tour de François de quitter le salon. Normalement, c'est moi qui « monte me coucher ».

Heureusement, il y a Félix. Mon chat miteux grimpe sur mes genoux, tourne plusieurs fois sur mon ventre et finit par s'installer tout en tétant mon vieux pull comme s'il devinait que je suis en mal d'enfants...

RÉCAPITULONS

Vertigineuse sensation d'être en porte-à-faux avec chaque membre de la famille – stop – impression désagréable de ne servir à rien – stop – sentiment étrange de s'être fait cambrioler par les siens – stop – urgent d'attendre – stop.

Mini or not mini ?

17 mars, 19 heures. Comprends que la ménagère de moins de 50 ans que je suis (encore) va devoir abandonner la minijupe.

Un thé à la main, je feuillette *L'Express* dont la couverture, Kristin Scott Thomas, l'air fatigué, annonce la couleur : « 50 ans, la vie devant soi », quand Ethan s'affale à côté de moi.

— C'est vieux 50 ans, fait-il en lisant par-dessus mon épaule, tu n'as pas trop la trouille ?

Je relève à peine. Ai décidé d'être imperméable aux attaques perfides des mutants.

— Mais de quoi tu parles, je n'ai pas encore 50 ans !

— Tu n'es plus très loin maintenant, rétorque mon fils goguenard. Je suis content d'en avoir 15 !

Je tente de lire cet article qui va encore m'expliquer à quel point je vais m'amuser après 50 ans, mais Ethan s'incruste.

— Mame, quand quelqu'un est plus près de 50 ans que de 40, on dit quand même qu'il a la quarantaine ?

— Eh bien, à mon avis, on a la quarantaine jusqu'au jour où on fête ses 50 ans. C'est mieux... Puis, après trente secondes de réflexion : Quoique certains prennent les devants et parlent pendant des années de leur cinquantaine, si bien que soudain on s'aperçoit qu'ils n'en ont que 47. Ceux-là sont les plus malins.

Je souris en hochant la tête, stoïque.

— Tu n'es pas très maligne alors..., me taquine le sale gosse. Et pourquoi on nous parle de la ménagère de moins de 50 ans ? Après vous n'existez pas ?

La zénitude a des limites.

— C'est exactement ça. On bascule dans le néant..., je résume cynique. Mais il ne vous a pas parlé, le prof, du rôle crucial joué par vos mères ?

— Non, ricane-t-il.

— En fait la publicité et le marketing s'adressaient à nous parce que *nous* décidions des achats, *nous* nous occupions des enfants et de la maison, *nous* savions ce qui est bon pour vous, ce dont vous avez besoin. Maintenant la population vieillit, et les femmes travaillent, la ménagère de moins de 50 ans ne correspond plus à rien...

— Oui, c'est vrai. Ici, c'est plutôt papa qui fait les courses sur Internet... Ça ne va pas lui faire plaisir d'être traité de ménagère de moins de 50 ans.

— Tu as tout compris, Ethan. Voilà pourquoi le monde du marketing a créé la RDA.

— Tu m'embrouilles là... Quel rapport avec la République démocratique allemande qui est morte alors que je n'étais pas né...

— Suis d'accord, ce n'est pas très moderne. RDA signifie responsable des achats, comme ça tout le monde se sent concerné..., je crois en avoir fini, très satisfaite de mon petit cours.

— Ils auraient dû créer les RDP aussi..., me regarde-t-il légèrement méprisant. Toi t'en es une... Camille aussi mais moins souvent...

Je le regarde, les yeux écarquillés...

— Responsable des poubelles ! lâche-t-il en se tenant les côtes.

— Désormais, *tu* descendras les poubelles. Je peux reprendre ma lecture maintenant ? fais-je en agitant *L'Express* sous son nez.

— Mame, j'ai un truc à te dire.

M'attends à tout après cet échange musclé.

— Le marchand de journaux, il te trouve fraîche comme darone...

— Ah bon, il a dit ça ?

Ethan se relève et me regarde, ennuyé :

— Il m'a dit qu'en minijupe tu faisais 35 ans...

— Sympa, le marchand de journaux, dis-je... flattée ? Flattée.

— Tu ne veux pas arrêter de porter des mini-jupes ? J'ai la tehon.

RÉCAPITULONS

Décider de s'habiller comme bon vous semble comporte de gros risques. Vos proches n'oseront peut-être pas vous dire franchement : « Ne sors pas habillée comme ça, tu es ridicule. » D'autres, comme Camille ou Ethan, n'auront aucun problème à vous déclarer droit dans les yeux : « Mame, tu n'as plus 12 ans pour te saper comme ça. » Mais très clairement, si ce « grand sweat-shirt », comme l'appelle Garance, vous rajeunit, excite tout le quartier, spécialement votre marchand de journaux, alors, n'hésitez pas. C'est toujours ça de pris.

Jungle généalogique

18 mars, 20 heures. François n'est pas là ce soir (passe son code maritime). Ma copine Claire organise un pot chez elle. Je fonce. Besoin d'air.

Part one

Affublée de ma robe rayée gris/noir, de mes jambières argentées et de mes Richelieu « orthopédiques » (merci Ethan), j'embrasse mes deux chéris qui me recommandent de « bien m'amuser à ma fête » et me promettent de rester à la maison au chaud. « Parce que toi à moitié nue, tu nous fais froid », me lancent-ils en chœur avant de me faire... angéliques, un signe de la main.

De vieux tubes des années 80 comme je les aime, du champagne à flots, de beaux gosses à la ronde, je me sens comme un poisson dans l'eau. Jusqu'au moment où le sosie de Daniel Craig s'approche.

— Bonsoir Stéphane, comment vas-tu ?

— Bonsoir Alice, mais ça fait quoi... cinq ans qu'on ne s'est pas vus... Et François, il est où ?

— Un dîner d'affaires, j'abrège. Et Isa ?

Derrière lui, une petite fille d'environ 4 ans lui tire la manche.

— Oh qu'elle est mignonne !

— Je te présente Maxence. Maxence, elle c'est Alice.

— Oh quel amour...

J'ai à peine le temps de me relever qu'un nain de jardin de 2 ans glisse sa menotte dans la sienne.

— Et voilà Louis.

— Salut Louis, moi c'est Alice. Puis à Steph : Eh bien vous n'avez pas chômé avec Isa.

Un beau brun, Enrique Iglesias, pose alors son bras autour de ses épaules, tout en me tendant la main.

— Moi c'est Rodrigo, enchanté. Je vais installer les petits là-haut devant un film et j'arrive.

Daniel Craig vole à mon secours.

— Tu n'es pas au courant ? J'ai quitté Isa.

Moi, larguée, mais très open minded, c'est un principe :

— Tu as carrément changé de vie, alors... Et les enfants ?

— Louis, c'est le fils de Rodrigo, et Maxence, ma fille.

— Bien sûr, bien sûr... Mais avec Isa, tu es bien resté marié vingt ans avant de... et tout d'un coup tu...

Ne sais plus comment finir ma phrase.

— J'ai rencontré Rodrigo, et ça a été le coup de foudre !

— Bien sûr, bien sûr..., je répète bêtement, la mâchoire légèrement douloureuse. Puis, pensant enfin avoir compris : Et Maxence est la fille d'Isa.

— Non pas du tout ! La maman de Maxence est une amie homo qui voulait un enfant.

Moi, de plus en plus perdue :

— D'ac-cord !

— Et Louis est le fils que Rodrigo a eu avec une amie hétéro dont le mari ne voulait pas d'enfant.

— Ça donne le tournis. Et le mari, ça ne l'a pas un peu traumatisé ?

— Au final, il est ravi d'avoir un petit à la maison, hein Rodrigo ? lance-t-il à son homme qui nous informe que tout va bien là-haut, glisse la main de Stéphane dans la sienne et répond, rêveur :

— Oui, cet enfant a de la chance : trois papas et une maman.

Moi, la mâchoire franchement douloureuse maintenant :

— C'est vrai que vu comme ça...

— Et alors ces retrouvailles ? Pas trop changé mon Stéphou ?

Mon Stéphou. Il commence à m'énerver lui.

— J'ai l'impression d'avoir loupé quelques épisodes, mais sinon... Pour les enfants, vous avez une garde alternée ?

Il se frotte le menton, ce que je prends pour un avertissement à l'attention des personnes sensibles.

— La mère de Louis ne veut pas en entendre parler, se plaint Rodrigo. Je m'en occupe seulement les week-ends et le mardi soir. Si ma sœur avait accepté de porter Louis, ç'aurait été plus simple...

Le sourire crispé, je parviens à éructer un :

— En même temps ç'aurait été un peu inces-tueux, non ?

Apparemment content de se trouver une alliée, Stéphou, sa coupe à la main, se tourne vers son partenaire :

— Tu vois, Rodrigo, elle aussi trouve que c'était une drôle d'idée...

Enrique Iglesias admet à contrecœur :

— Finalement ma sœur a fait un enfant à son mec, alors tout est bien qui finit bien.

Ça y est, j'ai une tendinite de la mâchoire.

— C'est rassurant que ta sœur ait voulu faire un bébé à son mec, plutôt qu'à toi, non ?

— Oui, mais que vous êtes compliquées, vous les quadras hétéros ! répond Roberto en me fixant.

Je sors m'aérer.

Part two

Dehors, il fait frisquet, mais j'ai besoin de ça. Il faut que je classe absolument les informations de Stéphane, celles de Rodrigo, que je range les mères porteuses dans les bonnes cases avec les bons enfants, les vrais pères, les faux oncles et les belles-mères potentielles... Et surtout que j'arrête de poser des questions à tout-va. C'est dangereux.

Je me demande si nous ne sommes pas en train de perdre la notice explicative de nos vies, lorsque Claire me saute au cou.

— Tu m'as fichu une de ces trouilles ! C'est incroyable, je n'avais pas vu Stéphane depuis cinq ans... Quelle révolution !

— On dit « coming-out ». Ça c'est sûr, et son Rodrigo c'est un vrai concept, non ?

— Ah bon, toi aussi tu trouves ?

— Il est d'un immature...

— Je me suis sentie tellement con quand il m'a parlé de sa paternité !

— Oui, il parle des gosses comme d'une portée de chatons...

— Tu me rassures. Et cette manière de juger les femmes hétéros quadras... Quel macho !

Claire, qui n'a ni homme ni enfant, et plus de 40 ans :

— Et ton homme ? Je ne le connaîtrai jamais alors...

— Il était occupé ce soir. Et puis de temps en temps, ça fait du bien d'être entre filles. Moi en tout cas, en ce moment, j'ai besoin d'air... Et toi ? Toujours célibataire, sans enfant ? Quel bol ! Je t'envie, si tu sav...

— Je cherche un garçon pour faire un bébé, en fait, me coupe-t-elle.

Moi, dont la mâchoire lance toujours et craque quand j'ouvre la bouche maintenant :

— Tu cherches... c'est-à-dire...

— J'ai eu trois histoires importantes, elles ont toutes mal tourné. Maintenant je n'ai plus le temps de rencontrer quelqu'un.

— Comment ça ? je lui demande, perplexe.

— À partir de 40 ans, une femme sans enfant stresse les hommes. Ils pensent que tu ne cherches qu'un donneur de sperme.

Et si je lui présentais François, au point où on en est...

— Et du coup comment tu procèdes ? je demande en me frottant la mâchoire.

— Les homos cherchent des femmes mûres pour faire des enfants, alors je vais tenter ma chance. Ça ne va pas, Alice ? Tu as mal ?

— C'est rien, je dois somatiser...

Elle m'interroge du regard...

— Oui, quand je vous entends, j'ai l'impression d'être hyper-conservatrice. Vous êtes d'un pragmatisme...

— C'est sûr...

— Donc, j'enchaîne pour ne pas perdre le fil de cette conversation hautement instructive, tu cherches un père biologique ?

— Oui, on peut dire ça comme ça. Je surfe sur Internet en quête du mâle idéal. Mais je vais peut-être en trouver un ici, me fait-elle en tournant la tête vers la maison.

— Tu veux dire que tous les beaux gosses qui sont là ce soir sont homos...

— Oui, pour la plupart.

Moi, positive – je n'ai pas le choix :

— Au moins tu es sûre de faire un beau bébé et moi de rester fidèle ce soir.

Part three

En pénétrant dans la maison je me dis qu'il est temps de sonner le final cut. J'ai la tête comme une série TV made in HBO. Mais apparemment, je ne suis pas décisionnaire quant à la chute de l'histoire...

Stéphane, surgissant de nulle part, me saisit par les épaules.

— Alice, tu as su pour François et moi ?

Moi, les jambes un peu faibles :

— Quoi François et toi ? Tu me ressers une coupe de champ ?

— Il ne t'a jamais dit que j'étais fou amoureux de lui ?

— Pardon ? Toi amoureux de François ? Mais il ne m'en a jamais parlé...

— C'est pourtant à cause de ça qu'on a arrêté de se voir tous les quatre. C'était invivable.

— Mais vous... vous avez couché ensemble ? je lâche, prête à tout entendre.

— Non. Ton mari n'est pas homo on dirait, ou alors je n'étais pas son style, va savoir... Mais la page est tournée, se reprend le garçon, soulagé d'avoir vidé son sac. Tu ne peux pas savoir comme je suis heureux de te voir ! Tu l'embrasseras de ma part, fait-il en me serrant dans ses bras.

— C'est ça. Je vais y aller. Salut toi, et ne fais pas trop d'enfants, d'ici la prochaine..., lui dis-je en lui faisant un clin d'œil qui se veut celui d'une fille dans le coup que je ne suis pas.

Une fois dans la rue, beurrée comme une tartine et la tête en vrac, j'essaie de faire le point. Il faut absolument que j'interroge François sur cette grande histoire d'amour dont il ne s'est jamais vanté.

2 heures du matin. Pas beaucoup de lumière, quelques voitures toutes louches. Je cherche la mienne. Le 14e arrondissement et moi, ça fait deux. Je tourne dans une, deux, trois rues, pas de C2. Je pense aux films d'horreur où l'héroïne se retrouve systématiquement seule dans un coin sombre où le psychopathe l'attend. Voilà, je vais me faire violer ce soir au moment précis où je

mettrai la main sur la poignée de ma voiture. J'entends des pas derrière moi. Je n'aurais jamais dû mettre cette robe T-shirt ridicule. Je tire dessus, remonte mes jambières, tout en me disant que ça risque d'énerver le type qui va me sauter dessus d'une seconde à l'autre. Toujours pas de C2 rouge à l'horizon. Mon cœur va exploser. Mais où ai-je garé cette foutue caisse ? Mon portable ? Où est mon portable ? Il faut que j'appelle les flics, vite, putain mon sac, quel bordel. Les pas s'approchent. Donner son sac au type sans résister, puis courir, courir. Ne surtout pas avoir l'air apeuré. J'attrape le portable prête à composer le 17... Le 17 ou le 18 ? Je ne sais plus... Un jeune homme me dépasse, me tend mon portefeuille que j'ai apparemment laissé tomber. Je retrouve mon iPhone et je lis, paralysée : « Mame, le garagiste a laissé un message. Ta voiture sera prête demain matin à 8 heures. Bonne soirée. Camille. »

No comment.

RÉCAPITULONS

Camille a raison : seule, presque nue dans une rue sombre, je ne crains rien. Suis trop vieille. Ou pas assez. « Mame, ce qui excite les sadiques, ce sont les jeunes filles ou les mamies sans défense. »

Claire a raison : passé 40 ans, nous avons plus de chances d'avoir un enfant avec un homo qu'avec un hétéro fatigué par une première paternité ou devenu homo entre-temps.

Stéphane a tort : François est peut-être homo.

Concernant la notion de couple, voire de la famille, il va falloir que je revoie ma copie.

Le monde occidental est en plein chantier et je n'ai pas suivi les travaux.

L'homme n'est plus le chef de famille.

La femme n'est plus soumise à sa loi.

L'individu prime sur la notion de famille.

Les femmes font des enfants toutes seules.

Les hommes en font sans elles...

Le mariage est devenu une plaie pour les hétéros.

Le mariage est un must pour les homos.

Le divorce, une formalité suivie d'une fête commémorative.

Nous sommes à la fois homos et hétéros comme les bonobos avec lesquels nous partageons 98 % d'à peu près tout (mais je suis moins poilue).

Les enfants n'ont plus besoin d'être élevés par un papa *et* une maman.

Fécondation, gestation et accouchement sont désormais des étapes dissociées.

La seule ombre au tableau ? Les arbres généalogiques... Comment va-t-on s'y prendre pour y retrouver ses petits ? Et ses anciens ?

Leçon n° 2 : faire plaisir

19 mars. Réserve une nuit à l'hôtel du Golf. Depuis le temps que François me tanne... Il va adorer.

Textos du jour

De Camille : « Mame, suis à la maison, ai la crève. 39°. »

D'Ethan : « L'infirmière dit que j'ai attrapé la mort à Trouville et que mes parents sont des irresponsables d'infliger ça à leurs enfants. »

De Garance : « J'ai rencontré une voyante géniale. On y va ensemble ? »

Curieusement François, qui me supplie depuis des années de l'accompagner à son satané golf, ne saute pas au plafond. Non, il est plutôt nerveux...

— Au golf ? Avec moi ?

— Avec qui veux-tu que j'y aille ?

— Mais tu détestes ça, tu n'as jamais eu la moindre envie de m'accompagner, et là tout d'un coup..., argue mon chéri mal à l'aise.

Je me pends tendrement à son cou et lui susurre à l'oreille :

— J'ai envie de te faire plaisir... Ça va nous faire du bien d'être tous les deux...

— Aïe, mon épaule ! Tous les deux, tous les deux ! Tu ne me verras pas, tu ne joues pas... Comme l'autre jour à Trouville. Tu crois que c'est drôle de te voir nous attendre chaque fois qu'on fait quelque chose ?...

— Mais si, je conduirai la voiturette, ça doit être rigolo ! j'insiste avec douceur.

— Ce n'est pas une auto tamponneuse, la voiturette, Alice, demande à Ethan. En plus je suis de mauvaise humeur quand je loupe un coup !

Moi, ronronnante :

— On s'en fiche. Et puis passer le week-end au milieu de sexagénaires, ça va me changer : je vais être la plus jeune du lot !

François, à bout d'arguments :

— Bon, OK. Mais ne te plains pas après de t'être ennuyée. Et arrête de me léchouiller l'oreille, tu me chatouilles, dit-il en me repoussant.

Moi, brusquement dégrisée, et consciente que mon scénario ne se déroule pas comme prévu :

— Cache ta joie !

Lui, comme réveillé par mon changement de ton :

— Désolé, mais tu es bizarre en ce moment... Tu m'invites au théâtre, maintenant c'est le golf. Qu'est-ce qui te prend ?

— Tu devrais être content ! je lui rétorque aussi sec devant son absence d'enthousiasme.

— Oui, sauf qu'en ce moment, je suis en plein questionnement. Le boulot, j'en ai fait mon deuil, le tour du monde, je sens que ça va être compliqué. Ne dis pas non, je sais que tu es contre. Je suis entre deux eaux. J'ai besoin d'air.

— De l'air ? Tu n'en manques pas ! La semaine, quand tu rentres, tu mets les pieds sous la table et le week-end, tu pars au golf ou faire de l'escalade avec tes potes, et tu as besoin d'air ?

La voisine pointe son nez à la porte. François, poli :

— Entre, Marie !

— Bonjour tout le monde ! Alors on se fait un petit week-end en amoureux au golf ? Ne t'inquiète pas, Alice, j'ai eu ton message, je surveille les enfants pendant votre absence. Et je donne à manger à Félix.

François hoche la tête exaspéré.

— Tu as mis tout le quartier au courant sauf moi !

— En même temps, elle te fait une surprise, dit Marie, joyeuse.

— Tu viens, Marie, on va chez Mohamed. Plus de lait...

Je la harponne littéralement et l'entraîne dans l'allée.

— Que se passe-t-il ? me demande-t-elle.

— Rien. J'en ai marre. Je me décarcasse pour que François soit heureux, pour pimenter notre quotidien, et lui trouve que j'en fais trop.

Je ne sais plus quoi faire.

Marie, fatale :

— De toute manière, le couple, je n'y crois pas. Et encore moins sur la distance. C'est impossible de maintenir la cadence pendant vingt ans.

— Si tu parles de sexe, c'est sûr.

— Moi, c'est simple, j'ai jamais autant baisé que depuis que j'ai quitté Daniel !

— Ah ça, je sais, lui dis-je les tympans encore emplis des cris de louve qu'elle pousse cinq nuits sur sept. Je pensais qu'avec François, on était à l'abri. J'étais tellement absorbée par mes états d'âme que je n'ai pas senti venir sa crise. Il a été si compréhensif, si contenant, si...

— Laisse tomber, un mec c'est un mec, donc attends-toi à tout.

— Tu es rassurante...

— Tu vois nos enfants ? À 10 ans, ce sont des anges, à 12, ils deviennent des monstres d'égoïsme, à 15, ils ne nous adressent plus la parole, à 18, ils quittent la maison sans se retourner ! Pareil pour les hommes !

Soudain consciente du tableau qui se profile à l'horizon, je lui demande :

— Tu veux dire que François va lui aussi quitter la maison ? Tu dois avoir raison. Plus j'y pense, plus ce tour du monde à la voile, j'ai le sentiment que c'est une diversion.

— Une diversion ? Il est quand même allé jusqu'à vous emmener à Trouville pour s'entraîner...

— Justement, il n'aurait pas fait mieux pour m'en dégoûter. Je me demande s'il n'a pas une maîtresse...

Je fixe Marie qui hausse les épaules et comprends que ma vie va virer au cauchemar.

RÉCAPITULONS

Votre mari est du genre fidèle depuis toujours ? Surprise !!!

Leçon n° 3 : éviter les sujets qui fâchent

21 mars. Ai décidé de récidiver. Après le fiasco de la soirée théâtre, tente un dîner dans son restaurant préféré. Pourquoi la soirée a dérapé ? Pour une sombre histoire de... testicules.

« Surtout ne prévois rien ce soir, je suis fatigué » est le texto que m'envoie François vers 19 heures. « Trop tard, j'ai réservé à la Gioconda, mi amore », ma réponse une minute plus tard...

Assis face à face au restaurant italien que François aime tant, je l'observe. Mon mari a l'air nerveux. Même Giorgio, le serveur, comprend immédiatement que l'ambiance n'est pas à la gaudriole. Sobre, il s'approche pour prendre la commande.

— Une calzone et une testostérone s'il vous plaît, demande François.

Le serveur fixe François, puis moi, puis François, tandis que je fixe François, puis Giorgio, qui répond :

— Vous êtes sûr, monsieur ?

— Oui, et une Badoit également, merci.

— Excusez-le, Giorgio, dis-je en examinant la carte, c'est un lapsus. Mon mari voulait sans doute parler d'un minestrone, hein chéri ?

— Oui, pourquoi ? Qu'est-ce que j'ai dit ? m'interroge-t-il, la tête ailleurs.

Giorgio me fait un clin d'œil et s'efface.

— François, tu es sûr que ça va ? C'est quoi cette histoire de testostérone ?

— Oh, j'ai dit ça ? Ce n'est rien.

— Comment ça *rien* ? Tu veux quitter ton boulot, partir au bout du monde. Le théâtre t'emmerde, le golf avec moi t'énerve, et maintenant tu commandes une testostérone ?

Sa jambe trépigne d'impatience sous la table.

— Écoute je ne suis pas dans mon assiette. Autour de moi au bureau, c'est un peu difficile. Je me sens vieux.

— Ce sont les femmes qui deviennent trop vieilles, vous les hommes, vous avez plus de charme à chaque nouvelle ride !

— Alors ce genre de généralités, Alice, si tu pouvais éviter...

— C'est vrai ce que je te dis. Regarde les hommes autour de toi. Dans ta génération : Brad Pitt, George Clooney, Johnny Depp, Sean Penn, Hugh Grant. Dans celle du dessus : Tommy Lee Jones, Robert De Niro, Harrison Ford, Jeff Bridges, Pierre Arditi, BHL, dans celle encore au-dessus : Sean Connery, Clint Eastwood, Robert Redford... Qu'est-ce qu'il te faut !

— Vieillir c'est vieillir. Et tout ce qui va avec..., dit-il en me montrant son crâne. Tu ne trouves pas que je perds mes cheveux, là ?...

— Pas vraiment... Et puis même, ça changerait quoi ?

— Tout !

Je cherche le petit plus qui rassure :

— Moi en tout cas, si je perdais mes cheveux, je les raserais comme Yul Brynner, Telly Savalas ou Harry Roselmack !

— Oh et puis il y a tout le reste...

— Quoi tout le reste ?...

— Il faut que je me remette au sport.

— Le golf, l'escalade... tu veux quoi de plus ?

— Je ne sais pas, j'ai besoin de bouger...

— Merci, dis-je à Giorgio qui m'apporte ma calzone, et mettez-moi un verre de vin rouge.

— Tout de suite. Bon appétit.

— Au fait, sauté-je du coq-à-l'âne, je suis allée sur ta boîte mail. Tu commandes du Viagra sur Internet ?

— Pourquoi tu dis ça ? sourit-il.

— Je ne sais pas, tu as des dizaines de messages qui te proposent des prix. Tu as demandé des devis ?

— Tout le monde en reçoit ! se défend-il.

— Non, pas moi. Donc ça va de ce côté-là ? crois-je malin d'ajouter.

— Tu devrais parler encore plus fort. Ils n'ont pas entendu à côté...

Moi, en dessous de tout :

— Non mais il faut le dire si tu en utilises... Moi je me fais bien faire des injections de Botox pour mes pattes d'oie...

— Non, Alice ! me rétorque François franchement excédé.

Je dépasse les bornes, je le sais, mais je suis incapable de m'arrêter. François, son trip tour du monde, puis Trouville sous la pluie, c'est trop pour moi. Il a une maîtresse, j'en suis certaine.

— Tu sais que tu es plombant depuis quelque temps !

— C'est bon ! lâche François qui vérifie d'un regard que personne n'écoute.

Vexée, je deviens franchement agressive :

— Tu es odieux ! Je rame comme une malade pour qu'on ait des moments à nous, qu'on se retrouve. Et toi ? Toi, tu abîmes tout !

— Franchement le théâtre, tu sais que je déteste. Et organiser des soirées ne change rien au problème...

— Mais quel prob...

François me plante là. Il paye et quitte le restaurant sans se retourner. Je reste assise bêtement. Normalement c'est moi qui fais ce genre de chose. Suis soudain très inquiète. Et s'il en avait vraiment sa claque d'Alice ?

RÉCAPITULONS

Avais dit réinventer mon couple, pas le briser en mille morceaux... Mais réinventer signifie peut-être tout remettre à plat pour repartir sur des bases saines ? Encore faut-il tenir compte de son conjoint qui a peut-être d'autres préoccupations en tête. Soyons clair, tout changement d'attitude chez un homme après vingt ans d'union est à considérer avec le plus grand sérieux.

Parce que :

1. il est peut-être sur le point d'avoir une maîtresse

2. il a déjà une maîtresse

3. il peut aussi avoir très envie, surtout au restaurant, quand vous lui parlez de ses testicules, de vous quitter pour... une maîtresse.

C'est bien connu, ces situations n'arrivent que dans les films, non ?

Leçon n° 4 : jouer les femmes fatales

23 mars. Delphine, bête de sexe, me suggère de me déshabiller pour reconquérir François... Ai bien regardé comment étaient harnachées les filles dans *Maison close* sur Canal... Me suis acheté des petites choses toutes simples chez Aubade. Ne reste plus qu'à se déguiser et à attendre.

Texto du jour

Le texto groupé (cinquante personnes) de Fanny me confirme que tandis que je rame pour reconquérir mon mari, elle est sortie du tunnel Michel : « Divorce party le 16 avril à 21 heures. Une bouteille de champagne sera la bienvenue. »

Suis dans ma chambre. En me tortillant, j'essaie d'attacher les bas au porte-jarretelles (qui, je le jurerais, présente un défaut de fabrication), quand sur mon iPhone s'affiche un message explicite : « Je te prendrais bien là tout de suite. Tu me fais vraiment bander. »

Qui peut bien déjà être au courant de la petite séance de strip-tease que je prépare à François ? Je m'apprête à texter : « Qui c'est ? » lorsque le rectificatif apparaît sur l'écran : « Oups ! désolé, j'ai bien peur d'avoir envoyé un texto qui ne vous était pas destiné ! »

Sans savoir ce qui me passe par la tête, je réponds aussitôt : « Me prendre là tout de suite n'est effectivement pas le genre de proposition qu'on me fait tous les jours ☺ » et, après trente secondes d'hésitation, j'enchaîne par : « Avec ou sans porte-jarretelles ? » Je ris toute seule, très contente de moi, quand on sonne à la porte. Regarde ma montre : 17 heures, ce n'est pas François... Fixe vite fait le deuxième bas, ajuste le porte-jarretelles comme je peux, range mes seins correctement dans les bonnets, enfile la première veste venue et descends en courant.

Ce n'est pas lui en effet, mais ce fichu facteur qui passe vendre ses calendriers : au choix, chatons dans le panier, chatons dans les blés... Le garçon, habitué à me voir en jean et santiags, siffle son admiration sans retenue, tout en me déshabillant du regard. Souris bêtement puis, incapable de le vider comme un malpropre, cours chercher 5 euros, les lui tends et lui rends son calendrier.

À moitié vexé :

— Mais non, il n'y a pas de raison, il faut que vous le preniez, vous l'avez payé...

— J'en ai déjà plein ! Et puis je suis pressée...

— Vous attendez de la visite à ce que je vois, fait-il avec un clin d'œil complice.

Je m'impatiente lorsque Sam, mon voisin, déboule :

— Salut Alice. Tu es drôlement fagotée, dis-moi.

— Oui, c'était pour... enfin...

Puis je renonce à mes explications.

— Tu peux me prêter ta ponceuse ?

— Eh bien moi, je vous laisse.

— C'est ça, fermez la porte derrière vous...

Je descends à la cave, Sam sur les talons, quand Clément apparaît à l'entrée du sous-sol.

— Coucou ! Je peux prendre ma guitare ? Puis me dévisageant : Tu es bizarrement habillée, marraine...

Les cheveux dans la figure à force de fouiller dans les outils :

— Ça va, ça va ! Je faisais des essais de lingerie, j'ai le droit, non ?

— Merci pour la ponceuse, lance Sam, l'outil à la main en signe d'adieu. Alice, tes bas ne tiennent pas...

— Clément, tu la prends cette guitare au lieu de me regarder avec cet air débile !

Il est 18 heures, je suis seule à nouveau, en nage, affalée dans le canapé, mon porte-jarretelles défait (c'est sûr, il y a un défaut de fabrication), quand la clé tourne dans la serrure. Je n'ai plus aucune envie de jouer les Dita Von Teese, me lève, passe devant François, le salue sans même lever les yeux vers lui.

Mon mari, aveugle, le courrier à la main :

— Ça ne t'ennuie pas de sortir la poubelle papier, Alice ?

— Pas du tout...

Une fois décente, je reviens jouer mon meilleur rôle : cuisinière. François ne me voit pas. Ethan, qui revient du basket, se laisse tomber dans le canapé à côté de son père.

— Salut pape ! Mame, quand est-ce qu'on dame ?

— « Pape », « mame », « dame », c'est un concours, Ethan ? S'il te plaît, parle-nous autrement. Brocolis, jambon, c'est prêt dans cinq minutes...

— Mais mame, c'est pété ce que tu prépares...

— Pour une fois, Ethan, je suis d'accord avec toi, c'est pété, intervient François.

— Moi je me fais un croque, c'est plus sûr, lance mon fils en ouvrant le frigo.

— Un pour moi aussi, dit François, en levant la main.

Mes deux hommes installés devant Marseille-Bastia ne m'entendent pas m'agiter dans ma cuisine de poche. Ne battent pas le rappel quand je fais mon salut.

Félix, qui d'habitude tire sa révérence et me suit, s'installe en sournois entre eux et se met à ronronner, heureux de cette soirée entre mâles.

Assise sur le lit, mon porte-jarretelles posé bien à plat, j'essaye une nouvelle fois de le faire coïncider avec les bas. J'appelle Delphine qui, j'en suis sûre, est collée devant *Mad Men*.

Dans le mille !

— Allô ?

Moi, sans préambule :

— Je crois qu'il a une nana...

— Ça n'a pas marché le coup des dessous ?

— Trop compliqué. Je te raconterai. Tu m'écoutes ? Cette fois je suis sûre il a une na...

— C'est ça, me coupe Delphine, et il serait assez pervers pour vous emmener à Trouville. C'est ridicule, Alice. Tu lui as fait passer une année de dingue et...

— Ah, ça va être de ma faute maintenant...

— Non, je veux juste dire que tes remises en question l'ont forcément remué lui aussi.

— Si on peut même plus criser tranquille...

— François est attentionné, fidèle, arrête de l'emmerder, laisse-le s'exprimer. Mmm, Jon Hamm, c'est quand il veut. En plus sa femme, quelle fadasse...

Son « Je connais François » me fait bouillir, son « Tu sais bien qu'il est exceptionnel » me fait sortir de mes gonds, et son « Tu sais bien que c'est lui l'élément stable de ton couple » me donne envie de hurler.

Au même moment, François fait irruption, furieux, dans la chambre, me collant mon iPhone sous le nez :

— C'est quoi ça, « Je préfère avec des porte-jarretelles, c'est bien plus excitant... » ?

RÉCAPITULONS

Pourquoi certains bénéficient d'emblée d'un capital confiance à toute épreuve alors que d'autres rament une vie entière à essayer de bien faire sans y parvenir ?

(Andro)pause rue Saint-Denis

24 mars, 11 heures. Sens la tension monter. Heureusement les copines sont là. Suis sous perfusion téléphonique avec Garance…

« Pourquoi tu ne m'emmènes jamais aux ventes privées ? » quémande Camille par texto. « Encore faudrait-il qu'on se croise » est ma réponse un peu sèche. « Laisse-moi un carton dans le salon, j'irai avec Margaux, si tu n'as pas le temps ☺ » s'affiche sur mon écran. Je l'ai mauvaise, ne réplique pas. Risque de devenir méchante.

— Garance ?

— Non, ta mère !

— Pas drôle…

— Que t'arrive-t-il encore ?

— Oh, je soupire en me plantant devant une vitrine particulièrement érectile. C'est François, je ne sais vraiment plus comment le prendre. Il ne me voit plus.

— C'est normal, tu es transparente comme fille, ricane mon amie.

Puis, collant mon nez à une des vitrines :

— Tu crois que je devrais acheter un string en bonbons pour l'exciter ? Je rêve ! La ligne de godes Marc Dorcel... Ce gros porc se diversifie, dis donc...

— Mais t'es où là ?

— Rue Saint-Denis.

— Je vois...

— Je ne sais plus quoi faire. Il est à prendre avec des pincettes, je ne peux rien lui dire, il monte immédiatement sur ses grands chevaux...

— Ben ma caille, c'est l'andropause !

— L'andropause ? À 45 ans ?

— Toi, à force de tricher sur les âges de tout le monde, tu oublies que François en a bientôt 50 !

— Tu as raison...

— Enfin tu les connais, ils ont peur de tout : la vieillesse, la perte de leur virilité, de leurs cheveux, de ne plus séduire. Déjà bébés, leur zizi les travaille, alors imagine ! Petit blanc au téléphone, puis : Toi qui nous bassines avec le livre de Romain Gary, tu devrais le savoir !

— *Au-delà de cette limite...*

— Le héros, il a quel âge, 45, 50 ?

— Je ne m'en souviens plus...

— Va sur Internet, tu sauras précisément s'il est dans la tranche d'âge. Mais François, ça m'étonnerait.

— Tu as des infos que je n'ai pas ?

— Ben oui, Alice, depuis le temps que je couche avec lui ! Tu es vraiment soûlante.

RÉCAPITULONS

Andropause... Non il ne s'agit pas d'une marque de compotes. Ni d'un nouveau goûter à base de fruits. Mais du frère jumeau de cette bonne vieille Ménopause. À eux deux, ils transforment notre vie en enfer... Passent leur temps à boxer nos hormones, qui finissent KO, au bord du ring. De temps en temps, quelques-unes se relèvent, courageuses, mais au final, il faut bien l'avouer, elles déclarent forfait.

Prostate mode d'emploi

24 mars, 15 heures. Philip Roth et FOG se battent comme des chiens avec leur prostate, Romain Gary tente de dompter son pénis récalcitrant, et Lodge d'apprivoiser son audition qui le lâche...
AU SECOURS !

Ayant dévoré d'une traite *Au-delà de cette limite, votre ticket n'est plus valable* de Gary et *La Vie en sourdine* de Lodge il y a moins d'un an, je croyais tout savoir sur le sujet « homme et prostate, mode d'emploi », mais c'était sans compter avec le dernier Philip Roth.

Suis plongée dans sa lecture depuis une demi-heure. Enfin, quand je dis plongée... Je n'arrête pas de relire le début du premier chapitre pour tâcher de comprendre pourquoi l'auteur d'*Exit le fantôme* est aussi chirurgical dans ses descriptions... Pour ne pas provoquer l'apitoiement du lecteur of course ! Et je compatis. Suis désormais incollable sur le cancer de la prostate, ses manifestations, l'éventuelle intervention qui consiste à « injecter du collagène sous forme gélatineuse au point de jonction entre le col de la vessie (je croyais qu'il n'y avait qu'un col, celui de l'utérus) et l'urètre ». Intervention qui permet une amélioration sensible chez 50 % des patients.

Dans le genre cabot de service, FOG avec son *Très grand amour* m'apprend qu'en plus d'une cynique incontinence qui le renvoie à l'état de nourrisson, l'autre conséquence de ce cancer est l'impitoyable impuissance qui le projette dans l'au-delà... Qu'il se tranquillise, je ne vais pas m'apitoyer. J'ai bien assez à faire avec mes propres soucis. Mais ne peux m'empêcher d'éprouver une certaine empathie à son égard lorsqu'il explique qu'il se teint les cheveux, se tartine de crèmes de beauté, et se détartre régulièrement les dents.

Imaginer que je pourrais partager avec Franz mes impressions sur les derniers gels antirides et sa couleur obtenue chez John Nollet me fait un bien fou. Enfin une vraie conversation unisexe ! J'achète.

Suis revigorée et me sens fin prête à me battre bec et ongles pour sauver mon couple.

Mon iPhone sonne alors que je quitte la librairie. C'est Garance.

Je lui propose d'aller au golf, voir ce qui s'y trame.

— C'est quand même bizarre, non, que François soit aussi mal à l'aise à l'idée que je l'accompagne là-bas ?

— Tu veux l'espionner ?

— Oui.

— Tu n'as pas d'autres idées brillantes dans ce style ?...

— C'est comme ça que ma mère a pincé mon père. Avec sa meilleure amie...

RÉCAPITULONS

— On n'est jamais mieux servi que par soi-même. Après mûre réflexion, ai conclu que si les écrivains hommes parlent aussi facilement de leurs problèmes de prostate dans leurs ouvrages, c'est peut-être pour éviter que les romancières ne s'attaquent à ce sujet épineux...

— Depuis que j'ai lu *Un très grand amour* de FOG une question me taraude : prend-il du Viagra ? Et, si oui, j'espère qu'il n'en prend pas six par jour, comme Chris Waitt (*Toute l'histoire de mes échecs sexuels*). C'est mauvais pour le cœur.

— Enfin, ai lu quelque part (mais les pros se tâtent encore apparemment) que la crise de la quarantaine chez les hommes peut durer entre trois et dix ans. Commence parfois à l'âge de 36 ans et peut aller jusqu'à 53. Le pic étant en moyenne à 46... Ses manifestations ? Aussi nombreuses et variées que chez nous les filles, avec une tendance à la « panne du désir » qui se résout très facilement avec une femme « toute neuve ». Gloups.

François prend ses cliques
et ses claques !

25 mars. C'est l'anniversaire de ma mère et ma fête : François s'en va. Seul, et maintenant.

Textos du jour

Garance, mon pense-bête, me rappelle à l'ordre : « NE PAS OUBLIER L'ANNIVERSAIRE DE TA MÈRE ☺ », suivie de Camille déjà partie à la fac : « Mame, c'est pas l'anniversaire de mamie aujourd'hui ? », suivie de ma mère qui me supplie : « Coucou chérie, surtout ne me souhaite pas mon anniversaire, ça m'angoisse. »

7 heures. L'annonce de François me sonne, mais curieusement ne me dévaste pas. Est-ce parce que je n'y crois pas ? Ou simplement parce que cette envie, je la connais bien ? Lorsque mon tendre mari m'annonce la nouvelle, j'opte pour le rôle de femme trahie qui reste digne.

Moi (je connais mes classiques) :

— Ne me dis pas qu'il n'y a pas une fille là-dessous !

Lui (qui connaît les siens) :

— Il n'y a personne d'autre, je t'assure. Je ne sais plus où j'en suis, c'est tout. J'ai besoin de réfléchir.

— Tu ne peux pas réfléchir ici ?

— Je n'y arrive pas. Je ne sais pas ce qui m'arrive, si c'est moi qui déconne… J'ai l'impression que je ne peux plus vivre ici. Que je serais un imposteur si je restais là.

Moi, championne du monde dans l'art de relativiser quand ça m'arrange :

— Mais ça m'est arrivé des dizaines de fois de douter. Si j'avais dû partir à chaque fois…

Lui, étonné :

— Ah bon ? Tu as déjà eu envie de me quitter ?

Moi, haussant les épaules :

— À ton avis ! Tu crois vraiment que je suis réglée sur beau fixe depuis vingt ans ?

Lui, sur le mode nombriliste :

— Oui, mais c'est la première fois que je me sens angoissé à l'idée de ne pas être à la hauteur. Je me sens mal. Il faut que je trouve un endroit où aller vivre en attendant.

Moi, soudain les oreilles dressées :

— En attendant quoi ?

Lui, penaud :

— Je ne sais pas. Il faut que je vérifie…

Moi, aux aguets :

— Que tu vérifies… quoi ?

Lui, sur des œufs :

— Je ne sais pas… Que vous me manquez… Que tu me manques, se rattrape-t-il trop tard.

Moi, fataliste :

— Donc il faut que tu couches avec une autre pour savoir si tu restes ou si tu pars…

Lui, énervé d'être caricaturé :

— Mais pas du tout ! Ce n'est pas de ça qu'il s'agit !

— J'en étais sûre ! Le golf : tu ne voulais pas que je t'accompagne. Cette salope, elle joue là-bas, c'est ça !

Lui, outré :

— Comment peux-tu imaginer une seconde que je ferais ça aux yeux de tous ?

— Pas aux yeux de tous, dans un lit ! Ou dans la forêt... Tu n'arrêtes pas de m'en parler de cette foutue forêt tout autour... En plus là-bas personne ne me connaît !

Lui, de mauvaise foi :

— Justement, depuis le temps que je te demande de m'accompagner...

— Ne retourne pas ta veste ! Ça va bientôt être de ma faute.

— Non, mais reconnais que tu n'as jamais voulu m'accompagner, réplique François.

— Normal, tu me disais tout le temps que c'était une vraie maison de retraite là-bas...

— Mais je ne t'ai jamais dit ça, c'est toi qui penses qu'il n'y a que des vieux !

— Tu vois, tu admets qu'il y a une fille ! Et tu quittes toujours ton job ou tu as aussi changé de projets de ce côté-là ?

Lui, les yeux dans le vide :

— Je ne sais pas... Vraiment... Je vais faire mon sac et dormir chez Georges en attendant.

Moi, blessante :

— Fais comme tu veux. De toute manière, tu as pris ta décision et je n'ai pas envie de me rouler par terre. Ça doit être ça l'usure du couple... On ne réagit pas comme il faudrait...

Lui, un peu vexé :

— Effectivement, je ne te savais pas aussi fataliste.

Moi, soudain lasse :

— Non, je suis inconsciente. Tout comme toi qui pars pour vérifier. Peut-être qu'après avoir commis l'irréparable tu vas réaliser...

Lui, dos au mur :

— L'irréparable ?

Moi, qui ai vu trop de mauvaises séries TV :

— Au fait, les enfants, je leur dis que tu es en voyage, que tu as une maîtresse, ou tu leur parles ?

Lui, renfrogné :

— Arrête avec ça ! Je te dis que je n'ai pas de maîtresse !

— Je ne te crois pas. Alors pour les enfants, on fait quoi ?

Lui, déjà absent :

— Fais comme tu veux...

— Cela dit, en ce moment, ils sont tellement ailleurs que je ne suis même pas sûre qu'il faille leur dire quoi que ce soit...

Nous nous embrassons, sur la joue. Et brusquement, je me rends compte qu'il part vraiment. De grosses larmes coulent. Je me sens abandonnée, trahie. J'ai enfin de bonnes raisons d'être malheureuse.

Ce soir-là, les enfants ne demandent pas où est leur père. L'habitude de le voir rentrer tard du bureau. Je ne dis rien. Lâche. Et si c'était un faux départ après tout ? Pas la peine d'alarmer les mutants.

Une fois nourris, ils s'emparent de la télécommande et me forcent à regarder *Qui veut épouser mon fils ?* Au bout d'un quart d'heure, ils remarquent mes yeux bouffis. Ethan, croyant que cette nouvelle émission pour décérébrés en est la cause, me demande :

— Mais maman, tu pleures ? Tu veux qu'on change de chaîne ?

— Surtout pas, elle est incroyable cette émission. Vous pensez qu'ils sont réellement comme ça dans la vie ?

— Mais non, c'est impossible, ils jouent la comédie, me rassure Camille.

— Je n'en suis pas si sûre. Puis fixant Ethan d'un air menaçant : Je vais nous inscrire tous les deux pour savoir.

— T'es folle !

— Tu as eu peur, hein ? Bon, je vais me coucher... Ce type de programme, c'est vraiment honteux. Bonne nuit mes amours.

— Bonne nuit mame...

— Au fait, mame, demain je pars à 6h30 et je ne reviendrai pas avant heu... tard le soir... Tu diras à papa que pour mon ordi, c'est quand il veut. J'en ai vraiment besoin pour mes cours.

— OK, on verra ça demain, poulette. Baisers.

Sous la couette, Félix à mes pieds, j'allume la télé pour pouvoir suivre et pleurer tranquillement devant *Qui veut épouser mon fils ?* Elle a raison, Claire, trouver sa moitié de nos jours ne doit vraiment pas être facile pour qu'ils en fassent une émission. Me suis endormie télé allumée. Réveillée en sursaut par un coup de fil. Embrumée, je réponds.

— C'est moi, tu me manques, m'annonça la voix de... François.

Moi, dans le cirage :

— Tu reviens alors ?

Lui, déconcertant :

— Non, je viens de te quitter...

Moi, refroidie :

— Laisse-moi tranquille alors...

Lui, vexé :

— C'est tout ce que ça te fait que je t'appelle à 2 heures du matin ?

Moi, tout à fait réveillée :

— François, tu me quittes à 16 heures, tu m'appelles à 2 heures du mat pour me dire que tu m'aimes... Tu as besoin de quoi ? D'une autorisation pour baiser ta reine du dix-huit trous ?

Lui, qui regrette déjà d'avoir appelé :

— Mais il n'y a pas de reine du dix-huit trous, je te dis que j'ai juste besoin d'air !

Raccroché, éteint télé et lumière, débranché portable et là... je n'ai jamais pu me rendormir.

Je reste allongée, les yeux comme des soucoupes, le nez dans l'oreiller. Que nous arrive-t-il ? Cela fait vingt ans que nous sommes ensemble. Et je crois que je comprends François. Ce coup de fil en pleine nuit, c'est celui d'un homme qui ne m'appelle plus par habitude, mais pour me (et se) surprendre. Le problème, c'est que j'ai le cœur fatigué et plus rien d'une jeune fille en fleur. Je pense aux enfants. Comment leur dire ? Que vont-ils penser ? En souffriront-ils ? Réagiront-ils ou feront-ils semblant ?

Allez savoir comment, Camille et Ethan savent ou sentent. Le lendemain, ils viennent m'embrasser avant de partir, sans bruit pour ne pas me réveiller. Puis tout bas :

— Ne t'inquiète pas, mame, on est là... Dors bien. À tout à l'heure.

Finis par être tirée de mon sommeil par le Savour Club à 11 heures. L'une des fameuses livraisons à domicile dont François a pris l'habitude de me confier la réception. Finie la tendresse. Je l'appelle aussitôt en faisant poireauter le coursier qui me regarde, suppliant, son bordereau à la main :

— Dis-moi, je fais quoi avec ton vin ? Tu as déjà une nouvelle adresse pour le livreur ?

— Alice, arrête de me chambrer...

— Mais je ne te chambre pas. Je fais quoi avec ton vin ?

— Sois cool...

— Je suis super cool, mais je te signale que des commandes, tu en passes quinze par mois sur Internet. Je ne compte pas rester clouée à la maison pour les réceptionner !

— Tu me punis ?

— Non, je te fais comprendre que tu es parti et que je ne suis plus ton employée. Alors j'en fais quoi ?

— Passe-moi le livreur.

Ai croisé les bras, le livreur a hoché la tête dix fois, puis m'a rendu mon iPhone et repris sa livraison. C'est réglé. Au revoir madame.

Marie qui sort au même moment de chez elle :

— Ça va ?

— François est parti !

— Non !

— Si !

— Non !

— Marie, arrête, je te dis qu'il est parti...

— Lui ? Depuis le temps, j'aurais parié sur toi !

— Et dans tes paris, il revient ?

Marie s'éloigne en croisant les doigts.

— Je suis désolée, suis pressée, je te vois tout à l'heure, mais moi je n'y crois pas à François qui s'en va.

Je prends le courrier au passage. N'aurais jamais dû lui dire. D'ici la fin de la journée, toute l'allée sera au courant

RÉCAPITULONS

Seul intérêt à cette sale affaire : mes enfants sont aux petits soins avec moi, pauvre trop vieille abandonnée.

Terrain miné,
plus personne ne bouge !

27 mars. Trie mon courrier de la veille. Une lettre de Max ! Que peut bien avoir mon ami de si extra-ordinaire à m'annoncer pour le faire sous enve-loppe ?

« Je viens de repérer un sac... Je ne sais pas si je vais pouvoir attendre les soldes. Trop bô. À tout à l'heure chez toi ! » Garance et son obses-sion maladive pour les sacs et ses achats com-pulsifs. Ne lui réponds même pas. Sa névrose est contagieuse. Je préfère l'attendre tranquille entre mes piges à écrire et le courrier à ouvrir.

Un faire-part ?

Max se marie !

À 50 ans !

Ce pilier de la solo attitude, cet ardent défen-seur de la vie dissolue épouse une certaine Luna.

François me quitte, Max se marie. Garance va tomber de sa chaise.

Elle tombe de sa chaise.

— François est parti ? Je n'en reviens pas... Il a une maîtresse ?

Moi, de moins en moins convaincue :

— Il me dit que non.

— Noooon !

— Siiiiiii !

— Mais pourquoi il part ?

— Il me dit qu'il ne sait pas.

— Et les enfants ?

— Je dois leur annoncer ce soir. À moins que François ne l'ait déjà fait.

— C'est dingue ! Jamais je n'aurais pensé ça de lui !

— Depuis le temps que je me dis qu'il va me quitter un jour ou l'autre, j'avais raison !

— En même temps, tu avais une chance sur deux... Mais c'est passager, forcément. Il veut faire le point à mon avis...

— Oui, ça doit être ça, dis-je lasse. Et toi, il va bien ton jules ?

— Là pour le coup, je crois que c'est moi qui vais finir par faire le point.

— Ah ! J'allais oublier : Max se marie.

— Non ! Max, ton meilleur ami se marie... Mais ma pauvre, tu dois être mal ! C'est un peu comme s'il te quittait lui aussi..., compatit-elle en posant sa main sur la mienne.

— Merci Garance.

— Ma pauvre poulette...

— Merci Garance.

— Quelle horreur !

— Merci Garance.

— Donc il n'est ni homo ni amoureux de toi !

— François n'est pas homo ! je réponds en repensant aux aveux de Stéphane. Qu'est-ce que tu racontes ?

— Non, poulette, je parle de Max !

— Ah !

— C'est formidable que Max se marie, poursuit Garance qui oublie enfin de s'apitoyer sur mon sort.

— Tu trouves ? Mais il aurait pu me l'annoncer autrement...

— Il nous en avait vaguement parlé, souviens-toi...

Garance a raison. Max nous avait bien annoncé la nouvelle, mais je ne l'avais pas cru ou pas voulu y croire. Exactement comme pour le départ de François.

Je connais Max depuis l'âge de 17 ans. En trente ans, il a assisté à cent cinquante mariages, est devenu parrain de vingt-deux enfants, a pas moins de vingt-sept neveux et collectionne les conquêtes comme d'autres les vinyles des eighties... Jamais je n'aurais imaginé qu'il finirait par se marier.

— Je fais quoi maintenant ?

— Tu l'appelles !

— Ah non, ce n'est pas à moi de faire le premier pas !

— Je te parle de Max, pas de François.

— Désolée, je suis un peu embrouillée, je n'ai pas dormi de la nuit.

Le soir, Ethan et Camille saisissent immédiatement que je ne suis pas dans mon assiette vu qu'il n'y a rien dans la leur.

— Mame, j'ai une de ces faims !

— Tu vois à ta gauche le meuble gris métallisé ?

Ethan se dirige derrière le bar.

— Oui, celui-là. Ça s'appelle un frigo et à l'intérieur, il y a tout ce qu'il faut.

— OK, OK, mame, j'ai compris...

— Les enfants, venez par là, il faut que je vous parle.

— Ça chauffe avec papa, c'est ça ? me devance Ethan tandis que Camille s'approche sans rien dire.

— Oui, c'est exactement ça. Papa a besoin de prendre l'air.

— Normalement, c'est plutôt toi qui étouffes, poursuit Ethan. Pas lui.

— Justement, maman parle beaucoup et ne fait rien. Papa, c'est tout le contraire, me défie Camille pleine d'aplomb.

Nous y voilà.

— Les enfants, je vais tout faire pour qu'il revienne, ne vous inquiétez pas.

— On n'est pas inquiets, répond Ethan. Ce qui va être chiant, ce sont les week-ends à tour de rôle chez l'un ou chez l'autre. On ne va plus pouvoir faire ce qu'on veut.

— Et pas question qu'on n'ait qu'une chambre chez papa, enchaîne Camille. Moi, j'ai besoin d'avoir mon espace.

— Moi aussi ! Camille, sa chambre, c'est un foutoir. Pour la batterie, on ne change rien, fait-il en haussant les épaules, je vais continuer ici évidemment.

Je n'en reviens pas. Ils ont déjà découpé le poulet et pris le blanc.

— Je suppose que ça ne vous intéresse pas de savoir ce qui se passe exactement..., je tente alors que je l'ignore moi-même.

— Vous êtes comme tous les parents..., assène Ethan, fataliste. Vous en avez marre. De tous nos copains, vous étiez les seuls à rester ensemble. On se doutait bien que ça allait nous tomber dessus un jour ou l'autre.

— Mais je n'ai pas envie...

— C'est chacun son tour, me coupe vivement Camille. L'an dernier, c'est toi qui en avais ras le bol de tout, là c'est papa. Il a le droit !

Moi, décontenancée par ce direct du gauche :

— Tu as raison, Camille. Il a le droit mais...

— Moi je le comprends de vouloir partir. On étouffe ici parfois.

— T'exagères, lui lance Ethan comme si je n'étais pas là. Maman aussi a ses problèmes...

— Le principal, c'est qu'on échappe au tour du monde à la voile. Ça, ç'aurait été l'enfer ! respire Camille.

Voilà. Tout est dit.

Chasse à l'homme

2 avril. La tête comme une bouilloire, je décide d'aller au golf chercher la réponse aux agissements secrets de François. J'entraîne Garance dans cette galère. Soixante-cinq kilomètres aller-retour...

Texto du jour

De ma mère : « Surtout ma chérie ne fais pas comme moi. Je sais que c'est tentant mais ne cherche pas à le prendre en faute. »

— On s'y prend comment pour le coincer ? Un golf, c'est immense...

Je brandis fièrement une paire de jumelles sous son nez.

— Tu me connais, j'ai même réservé une chambre donnant sur le green.

— On ne verra pas grand-chose d'une fenêtre...

— Au pire, on loue une voiturette, on enfile nos lunettes noires et hop !

— Ça va te coûter une blinde cette affaire ! Tu es sûre que tu as vraiment envie...

— Il le faut ! Si je découvre qu'il me trompe, je demande le divorce.

— François peut quand même avoir un moment d'égarement en vingt ans. Il serait bien le seul à être resté fidèle autant d'années.

— Toi, tu ne te demandes jamais pour Victor ?

— Je préfère ne pas savoir et, de toute façon, je suis sûre que non.

— Tu sais que cette foutue crise de la quarantaine touche 90 % de la population entre 35 et 50 ans, hommes et femmes confondus ?

— J'aimerais bien savoir qui sont les 10 % de résistants...

— Ils ne résistent pas, ils n'ont juste pas de crise, c'est tout, les veinards.

— Au fait, tu es sûre qu'il est là aujourd'hui ?

— Je n'en sais rien. Je n'ai pas son emploi du temps...

— Tu n'as pas appelé pour vérifier ?

— Je n'ai pas osé, j'avoue, un peu honteuse.

— Tu veux dire que si ça se trouve, on y va pour rien ?

— Pas du tout ! Regarde, sa voiture est garée là, dis-je en cherchant une place pour ma C2.

— Merde ! jure Garance en se cachant.

— Allez, suis-moi, fais-je le cœur battant plus vite tout à coup.

Ri-di-cu-les.

Sur le parking plein, Garance et moi avançons accroupies, de voiture en voiture – ne manquent que les P38 et les blousons FBI – jusqu'à l'entrée de l'hôtel, un château fin XVIIᵉ magnifique.

À l'accueil, personne. Une chance. Je demande ma chambre. Prends la clé. La fille nous regarde curieusement toutes les deux.

— Pardon, je ne vous connais pas, vous êtes membres ?

— Non, on nous a parlé de votre hôtel, de superbes balades qu'on peut faire ici, de la piscine..., dis-je en espérant que François ne va pas débouler là, maintenant.

— La piscine est fermée en ce moment.

Je ris bêtement.

— Oui, évidemment.

— Bon après-midi, nous lance-t-elle d'un air entendu tandis que Garance et moi nous regardons... amoureusement ?

Dans les escaliers qui mènent à la chambre, Garance aboie :

— Tu n'avais pas besoin de faire croire à la fille qu'on est lesbiennes !

— On s'en fout ! je réponds en ouvrant vite la porte. Super belle la chambre ! Puis me dirigeant vers l'immense porte-fenêtre : La vue est effectivement imprenable !

— Putain, je vois François, regarde là-bas !

Je me précipite, ma paire de jumelles à la main, la règle, cherche l'homme que m'indique Garance en trépignant.

Je baisse mes jumelles.

— Si chaque fois que tu vois un type avec une casquette tu crois que c'est lui, on n'est pas sorties de l'auberge !

— Désolée... J'oubliais qu'ici ils portent tous le même uniforme.

Je reprends mon examen.

— Il se fout vraiment de moi, François, quand il prétend qu'il n'y a que des vieux. Les hommes, oui, ils ont facile la cinquantaine, mais les filles, pas du tout... Tiens.

Je tends les jumelles à ma chère amie, qui acquiesce :

— Ah oui, il y a même de beaux petits culs...

— Arrête de parler comme un charretier !

— Mais c'est un véritable baisodrome !

Moi, soudain le cœur chaviré :

— Tu crois ?

— Des souris, des hommes, un hôtel en pleine campagne... Ahhh... Patrick Bruel !

— Quoi Patrick Bruel ?

— Il est là-bas ! Il embrasse une fille ! Belle brune.

Je lui reprends les jumelles :

— Lui au moins, on sait que c'est sa nana, je l'ai vue en photo dans *Voici*.

— Bon, on ne va pas rester plantées là tout l'après-midi, s'impatiente Garance.

— On prend une voiturette ?

— Chiche. N'oublie pas les jumelles...

Sommes toutes deux suspendues aux lèvres d'un beau gosse qui nous explique le fonctionnement de l'engin. Nous devons avoir l'air de demeurées, car au bout d'un moment le type en question nous interroge, un peu étonné :

— Vous n'aller pas jouer en fait ? Puis il se fait plus précis : Vous n'avez pas de clubs, c'est pas mal les clubs pour jouer.

Le con.

— On rejoint des amis là-bas, j'improvise en désignant un vague groupe au loin.

— Avec des jumelles vous allez les retrouver facilement. C'est pas bête les jumelles au golf, je n'y aurais pas pensé.

Je regarde, ridicule, la longue-vue qui pend à mon cou.

— Bon parcours, alors, dit-il en nous faisant un clin d'œil goguenard.

Impossible de ne pas penser très fort à ma mère chérie tandis que j'entreprends cette chasse à l'homme. Et à la dizaine de fois où elle m'a raconté comment, accompagnée de sa meilleure amie, elle a surpris mon père en charmante compagnie derrière une dune sur la plage. Mon cœur bat la chamade à l'idée de découvrir l'ignoble couple, et en même temps je suis curieuse, comme à l'affût d'émotions inconnues...

— C'est toi qui conduis, tu as l'habitude des boîtes automatiques.

— Mais ce n'est pas une automatique, c'est une simplifiée.

— C'est pareil.

Nous voici parties tout en à-coups, bosses et creux... Moi, bob sur le crâne, jumelles sur le nez, par-dessus mes lunettes noires, Garance, casquette enfoncée jusqu'aux sourcils, à moitié allongée pour ne pas être vue... Cela fait une demi-heure que nous auscultons littéralement le green, quand tout à coup j'entends mon nom.

— Je rêve ou quelqu'un m'appelle ?

— Grosse maligne, t'es repérée ! On fait quoi ?

— Regarde qui c'est !

— C'est François...

— Merde !

— Qu'est-ce qu'on fait, il s'approche...

— Il est tout seul ?

— Je n'en sais rien... On fait quoi, Alice ?

— On fait comme si de rien n'était..., je lui réponds à court d'idées lumineuses.

Garance me regarde, désespérée :

— Comme si de rien n'était ? On est dans *son* golf, dans une voiturette, sans clubs, avec des jumelles et on fait comme si...

— C'est bon, j'ai compris...

François arrive à notre hauteur au volant de sa voiturette, et moi je le salue bêtement.

— Salut Alice, me lance-t-il, plutôt joyeux pour un coupable...

À côté de moi, Garance se tasse, et émet un salut totalement inaudible...

Nous repartons, dignes, dans notre engin. Dans la mauvaise direction. Sous les insultes de joueurs dont nous coupons allègrement le parcours.

La honte.

Je souris, niaise, Garance se mord les lèvres. On attend que la terre s'ouvre sous nos pneus... Mais rien. Nous sommes tout bonnement pitoyables.

Déposons le véhicule sans dire un mot, montons les escaliers en trombe. François ne doit pas savoir que j'ai loué une chambre. Ce serait le pompon.

Enfin planquées, nous nous jetons sur le lit et partons d'un fou rire nerveux.

— Tu as vu la fille à côté de lui ? me demande finalement Garance.

— Y avait pas de fille. C'était un garçon !

— En tout cas attends-toi à avoir rapidement des nouvelles de ton mari... Il doit être furieux !

Texto de François que je reçois en rentrant à la maison : « Tu vois, ça, ça m'excite, Alice... C'était tellement inattendu. La vie devrait être comme ça. Une éternelle rencontre fortuite. Mais la prochaine fois, viens sans Garance, les partouzes c'est pas mon truc. »

Rendre des comptes à Camille

3 avril, le soir. Incapable de tenir ma langue, j'appelle Sonia. Je ne vais tout de même pas narrer à Camille et à Ethan mes exploits.

— Un vrai gamin ? se moque-t-elle après avoir entendu mes péripéties golfesques. Parce que toi tu n'es pas une gamine peut-être ? Du coup, tu n'en sais pas plus sur ses soi-disant incartades.

— Soi-disant ? Il est quand même parti, Sonia, je ne sais pas ce qu'il te faut !

— Tromper et partir, ce n'est pas pareil. Il peut en avoir assez momentanément.

— Il me gonfle avec sa crise. Je ne sais pas pourquoi ils l'appellent la « crise de la quarantaine », ils redeviennent des mômes.

Elle acquiesce :

— Moi j'ai un geek à la maison. Yann passe ses week-ends devant des jeux vidéo ultraviolents. Moi qui rêvais d'un homme à la quarantaine posée, adulte, qui me proposerait de partir à Bilbao visiter le musée Guggenheim. À Londres pour découvrir la dernière expo de Nicolas de Staël, ou courir les antiquaires. Tu parles ! Même un vernissage en bas de la rue, il refuse d'y aller !

« J'ai bien le temps de devenir un vieux con, me lance-t-il, mais vas-y toi. Tu me raconteras… »

— Toujours aussi délicat…, je pouffe.

— Je te passe le poker en ligne. Ça peut durer jusqu'à 3 heures du mat, et en plus il fait participer toute la maison…

— Ce n'est pas mieux chez Delphine. Son mec s'est mis au hockey sur glace. À 48 ans ! Tu imagines ? Et encore, on a de la chance. Aucun d'entre eux ne s'est brusquement aperçu qu'il était homo ! j'ajoute, obnubilée par les aveux de Stéphane.

Je raccroche en voyant Camille dévaler l'escalier.

— Encore au téléphone ! me lance ma fille en se vautrant sur le canapé en face de moi.

— Je ne te vois pas pendant plusieurs jours et tu me reproches de téléphoner ?

— Ce n'est pas nouveau. Tu me traumatisais déjà avec ton portable quand j'étais petite. Tes copines, ton boulot, tu avais toujours une excuse, me juge-t-elle sans sourciller.

Un procès, et n'ai même pas d'avocat.

— Tu sais, maman, je ne veux pas te vexer, mais je crois que c'est un peu de ta faute si papa est parti.

Je la regarde, prudente, sans répondre, j'attends la suite.

— Tu t'occupes beaucoup de toi, et pas tellement de nous, enfin de papa.

Je me cale dans le fauteuil, sans moufter ; c'est ma fête et elle ne fait que commencer.

— Vous vivez l'un à côté de l'autre. Lui a ses occupations, toi les tiennes, vous vous croisez.

On se croise tous en fait, mais sans jamais rien faire en famille. Sauf Trouville, nuance-t-elle, mais ça, c'était exceptionnel...

Fatiguée par mes aventures au golf et cette avalanche de reproches, je la fixe, hypnotisée.

— Et tu ne t'amuses que quand il y a tes copines à la maison. Avec nous, tu as toujours l'air de t'ennuyer.

Je suis consternée. Je voudrais me défendre, mais je ne peux la contredire. La vérité sort donc aussi de la bouche des adolescents...

— Maman, tu l'aimes papa ?

Pour le coup, sa question me sort de mon mutisme.

— Évidemment !

— Mais tu n'as rien fait pour le retenir...

— Qu'est-ce que tu en sais ?

Elle hausse les épaules.

— Tu as pleuré juste le premier soir, et après, rien.

Je décide alors de lui avouer ma sortie dominicale.

— J'ai vu ton père cet après-midi.

— Ah bon ?

— Oui, je suis allée... l'espionner au golf, lui dis-je sur le ton de la confidence.

Elle rit. Puis je lui raconte les détails.

Elle se bidonne, et me tance gentiment :

— Tu es une vraie gamine ! Mais je préfère ça ! Je croyais que tu t'en fichais de papa, de nous... Puis, sérieuse tout à coup : Votre place à tous les deux est à la maison, conclut-elle.

Je suis soufflée par son air grave, son regard vert qui ne me lâche pas et mes doutes dont je peux difficilement lui parler, lorsque Ethan fait irruption.

— Mame, j'ai répète là, il faut que tu bouges. Mes potes arrivent.

— Un bonjour, c'est possible ? Et le « tu bouges », tu évites.

— Tu vois qu'il te parle mal depuis que papa n'est plus là..., intervient ma grande et sage Camille.

— OK mame. Au fait, toi qui te trouves toujours trop vieille, j'ai une bonne nouvelle pour toi...

— Je suis impatiente, Ethan, dis-je en montant les escaliers afin de m'isoler des Tambours du Bronx.

Du rez-de-chaussée, il me crie :

— Tu sais, mes potes, ils te trouvent super jeune. Ils disent même que t'es la plus belle de toutes les mères, et que s'ils devaient choisir, ce serait avec toi qu'ils aimeraient sortir !

Camille, offusquée :

— Vous êtes vraiment lourds à votre âge...

Puis moi :

— C'est quoi ces discussions sur les mères ? Vous avez 15 ans...

— Non certains ont 16.

RÉCAPITULONS

Le pire ? Je suis flattée. Oui, flattée qu'une bande de morveux me jugent fréquentable...

Je m'enferme dans ma chambre, sors mon casque et le branche à mon MacBook, le nouveau CD d'Adèle à fond.

Ça y est, le voisin a des cheveux !

3 avril après-midi. Nous sommes tranquillement installées dans le salon, Camille et moi, à feuilleter des journaux quand ma fille s'exclame en voyant la dernière pub Eau Sauvage de Dior :

— Qu'est-ce qu'il est beau ce type !

— Il peut, c'est Alain Delon quand il avait 30 ans.

— Ce vieux schnock qui joue César dans *Astérix* ? Non !

— Ça ne donne pas envie de vieillir, hein ? Maintenant il en a 75...

— C'est surtout vexant pour lui, me dit Camille. Tu imagines la tête qu'il a dû faire quand on lui a demandé son autorisation pour faire la pub ?

J'acquiesce en attrapant le *Vogue Hommes* spécial force de l'âge, piqué chez mon voisin Sam.

Je n'ai pas pu m'en empêcher. Pour une fois que la presse masculine s'intéresse aux vieux mâles, ça se fête !

N'empêche, après cette lecture édifiante, je me demande de quel sexe il vaut mieux être. Les hommes en bavent autant que nous, visiblement.

L'icône Delon, justement, fait tiquer un des journalistes, qui évoque la lutte contre la vieillesse comme l'une des principales hantises de notre société, et avance que la montrer est un torpillage en communication. Et pourtant, comme le souligne plus loin un autre article, en 2020, les plus de 60 ans seront plus nombreux que les moins de 20 ans.

Alors ? Une guerre jeunes contre vieux s'engagera-t-elle ?

Un apartheid générationnel qui fait de l'âge une anti-valeur serait-il en train de s'installer ?

Conclusion : le vieux sage est un vieux con. L'homme riche de souvenirs un radoteur. Le senior en entreprise un ringard qui ralentit le rythme des transformations. Le bel homme mûr un vieux beau.

Camille me sort de ma lecture.

— Au fait, maman, j'ai croisé Richard. Il a des cheveux maintenant...

— Oui, ça s'appelle des implants.

— Et mon prof de droit constitutionnel, qui avait des cheveux blancs avant, s'est pointé à la fac les cheveux noirs !

— Oui, ça s'appelle L'Oréal Men Expert.

— Les hommes font comme nous en fait...

— Oui.

— Tu crois qu'ils s'épilent aussi ?

— Oui...

RÉCAPITULONS

Notre société de surconsommation a réussi un coup formidable : promouvoir le culte de la jeunesse éternelle auprès des femmes... et des hommes ! Maintenant nous sommes vraiment à égalité face au vieillissement.

Nous avons tous très très peur.

La publicité, elle, a résolu le problème : elle n'attend plus que les stars meurent pour en faire des icônes. Brigitte Bardot, elle aussi, peut admirer ses 30 ans sur les pubs de Lancel !

Le vieil homme et ma mère

6 avril après-midi. Quelle drôle d'idée : rendre visite à ma mère, qui est aussi reposante que la foire du Trône...

Garance n'est pas seulement mon pense-bête, elle est ma sentinelle sur Facebook et me prévient, quand elle estime que c'est nécessaire, des faits et gestes de mes enfants.

L'intérêt ? Aucun. Comme le prouve le chassé-croisé d'informations contradictoires et désagréables reçues ce midi : « C'est normal que ton fils fasse de la musique à côté de Saint-Lazare avec son groupe ? » m'interroge-t-elle, tandis qu'Ethan me prévient qu'il est chez Félix : « On révise les maths. »

Vais-je partir à la recherche de ce jeune menteur ? Pas question. Aujourd'hui, je lâche prise et me réfugie chez ma mère le temps d'un thé.

Je suis encore assise dans ma C2, lorsque j'entends maman vociférer :

— Il n'y a que ton jardinage qui t'intéresse, tu parles plus à tes plantes qu'à moi. Moi, je ne suis qu'une potiche !

Bob, l'homme admirable qui a réussi à dompter ma mère, ce danger public, lève la voix :

— Qu'est-ce qui m'a pris de t'épouser, tu es d'un pénible... Tu es... assommante, jamais contente...

J'attends, planquée dans ma voiture, la fin de l'orage. Qui ne passe pas. Maman l'abat d'un :

— Tu es trop con !

Me couche dans la C2 au moment où claque la porte de la maison. Bob, excédé, crie :

— Mais qu'elle est conne, qu'elle est conne !

— C'est ça ! Va-t'en, c'est tellement plus facile, et n'oublie pas ton poinsettia ! vocifère-t-elle en balançant par la fenêtre une plante à 350 euros...

Bob démarre. À moitié allongée, les yeux à hauteur de la vitre (une habitude prise au golf), je me demande si c'est bien le moment d'y aller quand j'entends des pneus crisser. C'est Bob qui fait marche arrière. Je me baisse de nouveau. Brusquement, ma portière s'ouvre. Ma tête et mes bras glissent sur... mon beau-père qui m'attrape de justesse avant que mon crâne ne s'écrase sur le bitume.

— Hé, mais tu veux me tuer ou quoi !

— Ça ne risque pas, je fais des abdos tous les matins et j'ai des muscles d'acier, mon p'tit ! me dit-il du haut de ses 87 ans.

— Bob, tu te prends pour un jeune homme. Je vous ai entendus hurler, alors j'ai préféré me planquer.

— Ne t'inquiète pas, ma chérie. C'est ta mère, elle est vraiment...

— Je sais...

— Elle ne supporte pas que je jardine, que je joue du piano, elle est même jalouse du chat...

— Viens, elle va se calmer.

— Maman, c'est moi !

Elle, de sa chambre à l'étage :

— Ah, bonjour ma puce. Tu tombes bien. Je n'en peux plus. Robert est absolument désagréable, je n'ai qu'une envie...

Je me retourne vers mon beau-père et lui prends le bras pour l'empêcher de disparaître à nouveau.

— Maman, je ne suis pas toute seule. Bob est avec moi.

Elle apparaît en haut des escaliers, puis les descend toute en talons aiguilles, en hurlant au complot.

Bob en profite pour s'enfuir dans le jardin, j'embrasse ma mère qui a visiblement plein de choses à me dire.

— Je ne sais pas ce qui me retient de le quitter. Je n'ai plus l'âge de supporter les caprices d'un homme. Il est égoïste, il ne pense qu'à sa musique...

Je la laisse déblatérer en me disant que ma mère est une héroïne de roman : 77 ans, une pêche d'enfer, des paupières impeccables, une peau presque lisse (merci Botox, acide hyaluronique et laser), trois enfants, huit petits-enfants, trois maris, qu'elle a épuisés puis quittés. Bob tiendra-t-il le choc ?

— Maman, comment veux-tu que j'envisage sereinement l'avenir quand je te vois balancer des pots de fleurs à la tête de Bob ?

— Mais ce n'est rien ! Il est impossible, il n'a, il n'a... aucune psychologie !

— Calme-toi. Bob est une perle, et tu ne t'en rends même pas compte, lui dis-je en reprenant tel quel le speech de Garance au sujet de François.

— Décidément, tu es toujours de son côté ! N'oublie pas que je suis ta mère. Comment peux-tu être solidaire de Bob ? Il n'est même pas ton père ! me jette-t-elle à la face en levant les bras au ciel.

— Arrête de hurler, je ne suis pas sourde !

— Moi si, et Bob m'énerve. Et j'ai bien le droit de vouloir le quitter.

— Tu ne vas quand même pas divorcer à 77 ans !

Une épidémie de chamboulement frappe mon entourage : François, Fanny, Stéphane, Max...

— Tu es aussi mauvaise que lui !

— Pas du tout ! Je ne t'ai même pas souhaité ton anniversaire !!!

— C'est gentil, chérie.

— Non ce que j'essaie de te dire, c'est que tu es excessive (l'hôpital se fout de la charité, je sais). Arrête de le menacer tous les quatre matins de partir ! Regarde, lui est bien plus compréhensif que toi.

Elle se lève et continue de pérorer sur son sort, mais je ne l'entends plus.

François a sans doute eu raison de me quitter. Je n'aurais jamais tenu trente ans de plus avec lui... Mon iPhone sonne. C'est lui. Je réponds, glaciale :

— Où sont tes affaires de ski ? Tu m'appelles juste pour me demander où sont tes affaires de ski ? Mais on est chez les dingues !!! Je suis occupée, figure-toi. Je suis en plein marasme conjugal maternel. Je tente de sauver leur couple à défaut de sauver le nôtre.

Et je raccroche.

Bob déboule, tout joyeux, une théière à la main.

— Allez, les filles, une petite tasse de thé...

Moi, en regardant maman qui continue de gesticuler :

— Bob est un amour, je t'assure.

— Ce n'est qu'une tasse de thé, je ne vais pas céder pour si peu.

— Maman, un effort. Bob, s'il te plaît. Je les prends par la main : faites la paix.

— C'est trop facile, résiste-t-elle tout en s'approchant de mon beau-père.

— Arrête ton cirque, maman, tu crois que François m'apporterait une tasse de thé si j'avais jeté ses clubs de golf à la poubelle ?

Bob acquiesce. Puis ma mère, qui a toujours besoin d'avoir une victime sous la main, se remet en selle :

— Comment ? François n'est pas attentionné ? Et prenant Bob à témoin : Tu te rends compte ? Il faut absolument que tu lui parles...

Etc., etc.

J'ai mal à la tête.

— François est parti.

— Nooon !

— Si !

Ai l'étrange impression que cet échange a déjà eu lieu...

— Il est parti avec une autre, c'est ça ?

— Je ne sais pas, je réponds pour la quinzième fois.

— Qu'est-ce que je peux faire ? me demande ma mère qui saisit, calmée, la main de Bob.

— Rien. Et comme disent les enfants, au moins on a échappé au tour du monde à la voile qu'il projetait de faire !

— Ah, lâche Bob en connaisseur, la crise de la quarantaine...

— C'est vraiment ça, alors ? Et ça se termine comment ? je l'interroge, inquiète.

Je sens que Bob est ennuyé. J'insiste.

— Eh bien, c'est délicat... Moi j'ai quitté ma deuxième femme à ce moment-là...

— Super.

— Comme moi avec ton père...

Les deux hochent la tête, tandis que je les fixe tour à tour, accablée.

RÉCAPITULONS

Ne posez jamais de questions aux anciens sous peine de récupérer des informations anxiogènes sur la suite des événements.

Iphone, facebook
et plus si affinités...

7 avril au matin. Dois rapidement cesser d'utiliser les technologies modernes avant qu'elles ne me tuent.

« Je ne t'ai jamais autant désirée qu'en ce moment. Tu es habillée comment ? » est le contenu du dixième texto que François m'envoie depuis hier soir. Si on peut se voir ? « Pas question. C'est tellement plus excitant comme ça... Je t'imagine nue... On aurait dû se quitter avant ! » est sa réponse. Le « Bon, ne couche pas avec trop de filles » que je lui adresse n'obtient pour réponse qu'un ☺. Peut-être n'a-t-il finalement pas de maîtresse...

N'empêche, les enfants somatisent. Un orgelet pour Camille ! Une gorge infectée pour Ethan ! Je prends en photo l'œil de l'un, les amygdales de l'autre et me précipite chez le médecin.

Discret comme toujours, Wish me fait entrer dans son cabinet et demande de mes nouvelles. Erreur fatale. Je fonds en larmes (un rituel que je lui impose), et lui annonce, dans le désordre le plus total, le départ de l'horrible mari en pleine crise existentielle, le mariage programmé de Max avec une fille de 25 ans, vous vous rendez compte ? Vingt-cinq ans, comment vous voulez lutter contre une gamine ? Lui narre le destin des quadras d'aujourd'hui, tout juste bonnes à faire des enfants à leurs amis gay, si, si, je vous assure c'est une réalité... Enchaîne sur le copain homo qui m'a avoué son amour pour François. Puis, entre deux hoquets, me tais, épuisée.

Lui, impassible :

— À part ça ?

— Comment ça, à part ça ?

— Je ne suis pas psy. J'en déduis que vous venez parce que vous êtes malade.

Je tombe des nues :

— Mais c'est la première fois que vous me dites ça !

— Je vous apprécie beaucoup, mais vous devriez consulter...

— Mais c'est ce que je fais !

— Je ne suis pas psy.

— Oui, mais vous êtes à l'écoute...

Et là, je sors mon iPhone, le déverrouille, vais sur l'icône photos, lui plante l'appareil sous le nez et fais défiler de l'index les organes malades de mes enfants.

— Camille a un orgelet, vous voyez, là ?

J'agrandis et recentre sur l'ignoble chalazion.

— Quant à Ethan, approchez-vous, là... Il a les amygdales complètement enflammées.

Wish relève la tête, me fixe, imperturbable.

— Alice... je peux vous appeler Alice ?

— Évidemment..., dis-je, déroutée par cette soudaine familiarité.

— Alice, je peux être franc avec vous ?

J'acquiesce.

— Vous..., commence-t-il, stoïque, vous êtes... déconcertante. J'ai l'impression d'être une de vos copines. Que vous pleuriez, vous confiiez, ne m'écoutiez jamais, passe encore. Mais que vous m'apportiez des photos de vos enfants en pensant que je vais vous donner une ordonnance...

Je continue de hocher la tête.

— ... sans les examiner... Alice, vous n'êtes pas sérieuse ! C'est la première fois qu'on ose me faire ça...

Wish, habituellement peu prolixe, me prend de court. Je n'ose pas l'interrompre.

— Je suppose que vous êtes en avance sur votre temps, et que bientôt effectivement je recevrai des photos des malades par mail et que j'enverrai ma prescription par le même canal, mais pour l'instant, ce n'est pas à l'ordre du jour.

Je me recroqueville sur ma chaise.

— Euh...

— Ne m'interrompez pas ! Pour quelqu'un qui se sent dépassé par les événements, je vous trouve très bien connectée à la vie moderne.

— Pas tant que ça. Je n'ai pas acheté d'iPad, il n'y a pas de téléphone intégré..., je parviens à caser.

Je sens bien qu'il perd son self-control et commence à soupçonner que je les lui brise menu.

Il se lève et me lance, exaspéré :

— Je vous demanderai de ne plus oser imaginer que vous pouvez me faire faire n'importe quoi. Amenez-moi vos enfants. Et tiens, puisque je vous ai sous la main, encore un mot : dans votre livre, vous avez écrit que je rédigeais mes ordonnances avec un stylo Bic. C'est faux. C'est un stylo-plume Montblanc que j'utilise. Eh oui, Alice...

— Vous êtes vraiment fâché ? Vous êtes comme François, vous n'en pouvez plus de moi...

Je lui serre la main, hébétée.

— Au revoir. Et désolée... Je ne voulais pas... Je ne me suis pas rendu compte...

— Bonne journée Alice.

Moi, lui faisant un signe de la main, intimidée :

— Bonne journée, docteur.

Lui, ironique :

— Et la prochaine fois, si vous avez envie de me payer la consultation, n'hésitez pas...

— Oh là là, je suis vraiment impardonnable...

Je fouille dans mon sac.

Lui, un sourire énigmatique sur les lèvres :

— J'ai dit la prochaine fois. Rompez !

7 avril, midi. Je sors du cabinet, accablée, et me dis qu'effectivement, je perds tout sens commun. Depuis que j'ai cet appareil, je fais des photos de tout et n'importe quoi et les diffuse un peu partout sur les écrans qui me tombent sous la main... Lorsque j'achète des tasses à café, je les envoie d'abord par MMS à François pour avoir son avis ; quand je repère une doudoune pour Camille, je la lui transmets pour savoir si la couleur lui convient ; j'utilise les Smiley à tour de bras...

Je prends brusquement conscience que je ne suis pas la seule à utiliser cet engin comme on respire et pas forcément de manière bien intentionnée.

Je me rends au journal pour déposer le synopsis de mon prochain papier sur les femmes choquées après une rupture, lorsqu'en montant dans l'ascenseur, je reçois un texto d'un numéro masqué : « La vengeance est un plat qui se mange froid... » Dessous, une photo s'affiche.

Je l'agrandis, et là...

Là.

Suis submergée par une bouffée de chaleur.

François embrasse une fille à pleine bouche.

Je glisse le long de la paroi du Roux-Combaluzier et m'accroupis. Commotionnée.

Me frotte les yeux d'incrédulité, puis reviens sur le lieu du crime.

J'agrandis à nouveau le cliché, le centre sur les deux bouches, puis détourne les yeux, dégoûtée, et glisse mon doigt sur le visage de cette... salope... Oui, c'est ça... cette très jeune salope même.

Je ne la connais pas, elle ne me dit rien, suis toujours dans l'ascenseur, recroquevillée dans un coin, n'en finis pas de relire « La vengeance est un plat qui se mange froid », de recadrer l'image pour tenter de comprendre qui peut bien m'envoyer un message pareil, lorsque j'entends :

— Madame vous ne descendez jamais ?

— Pardon, si bien sûr, c'est au sixième, dis-je à la jeune fille en me redressant.

Je débarque en larmes – une loque – dans l'open-space, je dois sans doute être bruyante, parce que quinze paires d'yeux se lèvent pour se poser sur moi.

Je renifle, m'essuie le nez avec le revers de la manche, me dirige vers le premier bureau qui s'offre à moi, pousse la porte, m'assois et j'éclate en sanglots. Troisième édition aujourd'hui.

Pas de bol. Je ne suis pas à la rubrique psychologie, mais à la beauté.

Alexandra, jeune bouledogue femelle, chef de ladite rubrique me prend dans ses bras. Enfin, par l'épaule. Suis trop mouillée pour qu'on ait envie de me serrer dans ses bras. Mon iPhone est en larmes lui aussi. Ma camarade prend un mouchoir en papier, me le tend, je l'attrape, plonge mon nez dedans, puis soupire.

— Tu veux qu'on en parle ? m'interroge Alexandra, bras croisés, version Lilly Rush dans *Cold Case*...

Je hausse les épaules, puis déballe mon sac à dos à grands gestes :

— Mon mari est officiellement parti pour prendre l'air, et là on m'envoie une photo sur laquelle il embrasse une fille qui doit avoir... je ne sais pas moi, ton âge ? lui dis-je, en la mettant dans le même sac que la coupable.

Puis m'adressant à moi autant qu'à Alex :

— Je ne comprends pas, en plus c'est impossible d'envoyer un texto masqué, non ?

Alex dément l'information. Il suffit d'aller sur Internet et de composer un code particulier. Mais il faut vraiment être vicieux !

— Quel enfoiré ! j'enchaîne. Quand je pense qu'il m'a juré ne pas partir pour une autre...

— Mince ! compatit Alex.

— Oui, c'est vraiment dégueulasse... Hier... hier encore, dis-je en brandissant l'iPhone, il m'envoyait un texto super sexe...

— À votre âge ?

Je la fixe, les sourcils froncés de celle qui ne comprend que trop bien...

— Quoi à notre âge ?

— Non mais c'est que je vois mal mes parents s'envoyer des textos de... cul, c'est tout ! Mais j'ai une idée, bifurque-t-elle astucieusement, et si je te refaisais une beauté ? J'ai reçu plein de produits !

La directrice, la soixantaine hyaluroniquement transformée en cinquantaine fatiguée, passe la tête par la porte :

— Alors Alice, on se voit pour l'article ?

Je me retourne, la fusille du regard, puis reviens vers Alex et m'assois à son poste :

— Chiche. Moi qui ne me maquille jamais, ça va me changer les idées...

À la beauté, on ne fait pas les choses à moitié, Alex s'assoit par terre et fouille dans ses armoires pleines de maquillage, de crèmes et autres parfums envoyés par de grandes marques. Des cadeaux totalement désintéressés en échange d'articles parfaitement objectifs... Je calcule que j'en ai pour au moins une demi-heure... Peu importe. Je m'installe confortablement dans son siège et pose ma tête sur le dossier.

— Tu as la peau un peu ramollo, là ? Je vais te mettre une crème restructurante !

Ne relève plus au point où j'en suis.

— Tu ne mets jamais de crayon sur les paupières ? me demande-t-elle, concentrée sur le vaste chantier qui l'attend.

— Non, je ne mets rien.

— Je vais te faire des yeux, tu vas voir...

Puis de nouveau elle m'interpelle :

— Tes paupières, elles sont un peu... un peu...

— Gonflées ? J'ai beaucoup pleuré, c'est pour ça.

— Non, distendues plutôt...

Le crayon noir entre les doigts, elle tire ma paupière pour appliquer le noir.

— Tu tires beaucoup là, non ?

— Oui, mais elles sont vraiment distendues, tes paupières...

Elle trace son trait d'un geste sûr, puis lâche la paupière qui se rétracte tel un élastique usé.

— Zut !

— Quoi ? Tu m'as ratée ?

— Normalement ça ne fait pas ça..., s'étonne-t-elle, je ne comprends pas...

— Ça ne fait pas quoi ? j'interroge en cherchant du regard un miroir.

Elle lève les yeux vers moi et, droit dans les miens, se désole :

— Un pâté...

— Je te disais bien que tu tirais trop...

— Ben oui, dit-elle en observant, perplexe, la pointe de son crayon, c'est comme si en tirant j'avais fait un trait sur une verge en érection. Quand elle revient à sa taille au repos, ça fait... un pâté...

La délicate métaphore me laisse muette, tandis qu'Alex glousse tout en prenant le démaquillant.

Mes paupières. Cela faisait un bout de temps que je n'en avais pas entendu parler. La dernière fois c'était...

— Ça y est ! je m'exclame soudain debout. Je sais qui m'a envoyé le texto. C'est cette chienne de Sandrine qui m'a pourri lors d'un dîner chez Garance.

— Ouh ! dit-elle en s'écartant pour m'éviter.

Je marche de long en large, l'œil au beurre noir, Alex dans mon sillage.

— Mais attends deux minutes, tente-t-elle de me coincer, le coton imbibé à la main.

— Non, je dois appeler quelqu'un.

Je compose le numéro de Garance et lui décrit la photo.

— Merde ! Quel salaud ! Ce n'est pas possible, ce n'est tellement pas son genre…, réussit-elle à placer.

— Laisse-moi parler ! Le pire, c'est la phrase « La vengeance est un plat qui se mange froid », et c'est anonyme !

— Nooon !

Puis elle aussi s'étonne :

— Mais c'est impossible les SMS anonymes…

— Justement non. Je t'expliquerai. Mais à ton avis, qui peut faire un truc aussi dégueu ?

— Ah mais c'est cette catin de Sandrine évidemment !

— On est d'accord, je souffle, à la fois soulagée et mortifiée. Et maintenant je fais quoi ? François a tout cassé. Cette salope qui…

— Stop, Alice, il faut réfléchir…, me coupe mon amie qui, au vu du vacarme qui brouille la ligne, s'apprête à sauter en parachute.

— Ça y est, je sais…, je crie dans le téléphone.

— Attends, attends. Le baiser, il est vraiment louche ? enquête Garance.

— Ils se roulent une pelle, Garance ! Tu veux que je te l'envoie, c'est ça ? Alors raccroche.

Je déverrouille, enregistre l'image infecte, tape sur l'icône photos, sélectionne MMS et envoie...

Alexandra me rejoint et, autoritaire cette fois :

— Tu es ridicule avec un œil au beurre noir. Arrête deux secondes.

Elle essuie le noir qui dégouline à moitié.

Sonnerie. Je réponds.

Garance, traumatisée :

— Oh là là, c'est vraiment space... Je ne l'avais jamais vu embrasser quelqu'un d'autre que toi !

— Encore une chance ! Mais j'y pense... Sandrine, elle est capable de mettre cette photo sur Facebook. Elle en a même peut-être d'autres...

— Toi, ton mec te quitte, te trompe et... tu penses à Facebook ?! Tu es grave !

— Pardon mais il y a de quoi ! Si ça se trouve, cette fille est une amie de Sandrine. Ils étaient peut-être tous les trois ensemble. Ce serait encore pire !

7 avril, 16 heures. La patronne du journal refait une apparition, m'entend pérorer au téléphone puis ressort, les yeux au ciel.

— Bon, Garance, je te laisse, j'ai le cœur en puzzle. Je rentre.

J'enfile ma veste, récupère mon sac, remercie Alex pour sa patience, puis hèle la patronne pour lui confirmer ce qu'elle sait déjà : ce n'est pas demain la veille qu'elle va récupérer son synopsis.

Je sors de l'immeuble et marche en direction du métro, abattue, hantée par cette photo, me sens trahie, me dis que tout ça, c'est fatal...

Pourquoi François échapperait-il à la règle ?

Pourquoi serais-je épargnée ?

Suis lessivée. L'affiche qui promeut le *Vogue Hommes* intitulé « La force de l'âge » en dos de kiosque me saute aux yeux. Le vieux beau ! L'exact croisement de Sean Connery et de Samy Frey... La force de l'âge, c'est quand ? Après la crise de la quarantaine ? À 50, 60, 70 ans ? Il y aurait donc un répit pour les hommes ? Parce que pour nous, c'est râpé. Au mieux, nous devenons épanouies, au pire bien conservées...

Tout à mes pensées, je me dis qu'il faudrait appeler François et le passer à la question. Mais n'ose pas.

Non, vais plutôt disparaître... Retrouver mon impasse, ma maison, mon lit. Je sursaute intérieurement. Mon impasse ? Évidemment ! Suis arrivée au bout, dois maintenant en sortir. Quelle idée d'habiter une impasse...

RÉCAPITULONS

Ai imaginé tant de fois quelle serait ma réaction en apprenant une hypothétique trahison de François (colère, chagrin, sentiments d'injustice, d'impuissance, incapacité à survivre, dépression, puis meurtre) que dans l'immédiat ne comprends rien à ce que je ressens. Ai simplement mal. Au cœur.

L'article infaisable

7 avril, tard le soir. Encore anéantie par la trahison de François, je finalise l'article sur les femmes qui touchent le fond après un choc, lorsque la directrice du journal m'appelle.

— Alice, vous allez bien ? chantonne-t-elle à l'autre bout de Paris.

— Comme un charme, et vous ?

— Merveilleusement bien, profère-t-elle, un rire en cascade à l'appui. Je ne vous dérange pas ?

— Non, je suis justement sur le point de finir l'article sur...

— Je vous appelais à ce sujet, me coupe-t-elle de sa voix de tête perchée dans les arbres. J'ai lu ce que vous avez envoyé, je trouve cela très *intéressant*. Mais nos lectrices ne sont pas trop clientes de ce type d'articles. Vous n'êtes pas assez *positive*.

— C'est quand même un sujet lourd. Et je sais de quoi je parle..., dis-je.

— Oui, je comprends, mais nos lectrices ont besoin que vous évoquiez la sortie de crise. Trouvez des témoignages de femmes heureuses...

— Heureuses après une déprime ? Écoutez, j'en ai appelé une quinzaine. Elles sont soulagées, mais pas franchement « heureuses », quand elles n'ont pas été au passage virées de leur travail...

— Vous voyez, vous êtes trop négative ! Vous devez bien avoir le témoignage d'un psy dont les patientes ne sont pas à l'agonie, s'énerve-t-elle à court d'arguments.

— Sur les cinq interviewés, pas un n'a sauté de joie sur son divan en criant : « Ma patiente est au top ! »

— Non mais vous comprenez ce que je veux dire. Ne dramatisez pas trop..., parvient-elle à se contenir à nouveau.

— Je ne dramatise rien du tout ! Avez-vous la moindre idée de ce que c'est de se prendre un coup sur le crâne ?

— Bien sûr, bien sûr, mais restez légère, pas trop *réaliste*.

Là, je sens, elle bout intérieurement.

— Pas trop quoi ?

— Alice, écoutez-moi : plutôt que de décrire la traversée difficile de ces femmes, évoquez plutôt leur soulagement d'être enfin réconciliées avec la vie. La joie de se re-trou-ver ! martèle-t-elle.

Mon calme me déserte moi aussi.

— La *joie* ? Elles viennent de traverser l'enfer, elles sont encore à moitié brisées, fragiles...

— Oui, je sais bien, mais transformez cela en une légère déprime, un petit moment à passer..., tente-t-elle de me convaincre une dernière fois.

— Six mois... un *petit* moment ?

— Oui, c'est comme lorsque vous parlez de l'addiction aux antidépresseurs, vous n'exagérez pas un peu ? me questionne-t-elle, de nouveau des fleurs dans la voix.

— Si j'ai un sujet sur l'anorexie, j'écris quoi ? Que quelques kilos de moins c'est ça de gagné avant l'été ?

— Ce n'est pas ce que je veux dire, Alice, vous le savez parfaitement...

— Écoutez, mon mari vient de prendre la tangente, je ne dois pas être la bonne personne pour faire ce papier...

— Mais si, mais si, je compte sur vous... Je le repeignerai, vous verrez...

RÉCAPITULONS

Écrire dans un journal féminin implique de respecter la règle d'or : PO-SI-TI-VER !

Et, évidemment, tenir une sacrée forme. Étant légèrement à cran, je suis inévitablement trop *réaliste*. Trop *lucide* pour être capable de *romancer* la vérité et donc de mener l'enquête.

Dont acte.

Une dépression est un mal-être passager.

Une anorexie, une absence d'appétit.

Vieillir, c'est grandir.

« Intéressant » signifie « impubliable ».

Nos lectrices ne sont pas « clientes », eh oui, par définition !

Nietzsche et consorts
à la rescousse

8 avril, en fin d'après-midi. Ma tribu, du moins ce qu'il en reste, me réveille. Il paraît que j'ai dormi seize heures...

Textos du jour

De Garance : « Il y a un livre intitulé *Comment récupérer son ex*, je l'achète ? »

De ma mère : « Ça va mieux avec François ? Sois patiente. Tu auras du mal à en trouver un aussi bien que lui... »

Marie me secoue doucement. À côté d'elle, Ethan, Camille et Félix me scrutent.

— Ça va ?

J'émerge peu à peu, et mets quelques secondes à me souvenir que je fais désormais partie du club des larguées-cocues. Ce salaud ! Prise d'un malaise, ma tête retombe sur l'oreiller. Cinq paires d'yeux me regardent, inquiets.

— Mame, ça va ?

— Qu'est-ce qui se passe ? C'est à cause de papa, hein ? pressent à juste titre Ethan.

— Oui… mais ça va aller, les enfants, ne vous inquiétez pas.

— Si, on s'inquiète. Il ne te trompe pas au moins ? s'enquiert Camille, à qui on ne la fait pas.

— Non, non, c'est le contrecoup, je mens en me demandant combien de temps je vais tenir ma langue. Puis, à Marie : On se fait un thé ?

Elle, comme chez elle :

— C'était prévu, ma p'tite dame ! Allez, ouste, les mômes ! Votre mère va bien, dehors !

— Je vais à la batterie ! prévient Ethan, rassuré.

— Suis dans ma chambre. Si tu as besoin de moi…, précise Camille.

— D'accord, ma puce.

Je sirote mon thé, enveloppée dans un plaid bien chaud, tandis que Marie m'interroge du regard. Je lui tends l'iPhone sans un mot. Elle lâche un « Oh merde ! » pour le moins explicite.

— Il se fait pas chier dis donc, elle a quel âge cette pouf, 25, 30 ans maxi ? Tiens, tu as un message… C'est Ethan. « Je tm ☺ »

Je relève la tête et lui demande :

— Je dis quoi aux enfants ? Que leur père a une maîtresse ?

— Pas de précipitation ! Qui t'a envoyé ça ?

Aussi fine mouche que Chloe, l'assistante de Jack Bauer, elle inspecte le téléphone, et conclut :

— C'est anonyme.

— Justement, avec Garance, on pense savoir qui c'est, mais à quoi ça m'avance ? C'est une grande malade. Ça lui ferait trop plaisir que j'essaye de la contacter… Je ne vais pas me laisser humilier par cette garce. Mais je ne peux pas non plus faire comme si de rien n'était... Tu me ressers un peu de thé ? C'est étrange, mais je ne m'y attendais pas. Il y a dix ans, quand les enfants étaient petits, je ne dis pas, mais là... En plus il m'envoie des textos hyper chauds, je ne comprends pas...

— Ça c'est bon signe, approuve-t-elle, en enfournant un mini-cake entier dans la bouche.

— Hier, il m'en a laissé au moins dix, je n'en revenais pas !

— Ne cherche pas, il se l'est faite, assène-t-elle en s'essuyant les mains.

— Je ne vois pas le rapport.

— Il t'envoie des textos cul, tu n'es pas là, il couche avec une autre, m'explique-t-elle avec une logique toute scientifique. Quand un mec est chaud, il est chaud, enchaîne-t-elle, sûre de son fait. Crois-moi, Alice, je sais de quoi je parle !

Effectivement, elle sait de quoi elle parle. C'est une experte même.

Pas comme moi, qui tombe des nues. D'où je tiens cette naïveté ? Pas de ma mère en tout cas...

Marie, qui attaque un deuxième mini-cake, m'exhorte :

— Une chose est sûre, tu dois réagir !

Puis, au cas où je n'aurais pas suivi, elle énumère sur ses doigts : La garce qui t'a envoyé le texto, ton mari et sa nana.

J'acquiesce, le nez dans le bol. Conspirer avec une amie soulage momentanément mon amour-propre et mon cerveau surchauffé.

— La vengeance est peut-être un plat qui se mange froid, mais comme dirait l'autre, chaud c'est pas mal non plus ! se sent obligée de me préciser la reine du dicton.

— Tu vas me les citer tous ?

— Oui, il y en a un que j'aime bien : « Dans l'amour comme dans la vengeance la femme est plus barbare. » Nietzsche.

Moi, agacée :

— Merci du renseignement.

Marie poursuit :

— Et pour toi, spéciale dédicace : « Qui cache sa colère assure sa vengeance. » Corneille.

— Pas mal, je concède, en me dégageant du plaid, réchauffée par les deux bols de thé que je viens d'avaler. Tiens, j'ai eu un texto de Garance. Elle me demande si elle m'achète *Comment récupérer son ex* ?

En veine d'érudition, Marie croit indispensable d'ajouter :

— Et puis au cas où ce salaud de François se met en couple avec sa nana sur Facebook, une petite dernière : « Quand le déshonneur est public, il faut que la vengeance le soit aussi. » Beaumarchais. Alice, il faut que j'y aille, mais je reviens te border tout à l'heure, glisse-t-elle avec un petit clin d'œil.

RÉCAPITULONS

C'est bon de planifier des vengeances.

L'effet François...

9 avril, 13 heures. En moins de deux heures, Garance, Sonia, Delphine et moi avons échafaudé le plan de la mort qui tue (comme dirait Ethan) pour venger mon honneur perdu.

Éteins mon portable jusqu'à nouvel ordre.

Ras la casquette du Japon et de ses Yakitori, Nagoya, Matsuri, et Foujita qui ont remplacé les pizzas de nos 30 ans. Nous décidons d'innover en posant nos fesses sur les chaises du branché et multiprisé Ze Kitchen Galeri. Un piège à bobos lookés New-Yorkais. Parfait pour nous.

Je prends les menus que me tend un jeune homme – le jeune frère de Benicio del Toro ? – pour les distribuer à mes vieilles camarades.

Oui, ici, nous sommes vieilles. Indéniablement.

Ou forcément riches et donc excentriques.

Ou nous sommes une erreur.

J'opte pour l'erreur.

Je contemple Gladiator et ses jumeaux qui se faufilent entre les tables, et romps enfin mon assourdissant silence :

— Je veux du rouge !

Sonia sursaute.

— Verre ou bouteille ? demande gentiment Delphine.

— Une bouteille, je jette comme s'il y allait de ma vie.

Les trois me regardent, un poil inquiètes.

— Ça va ? me demande cette idiote de Delphine.

— À ton avis ? j'aboie, aigrie.

— Bon, on va commander, hein ? se repositionne Delphine.

— À moins qu'on ne se cotise pour te payer une corde, me bizute Garance.

Mon cocufiage récent ne me quitte pas.

Suis mal.

Susceptible.

À cran.

Prends tout de travers.

M'excuse platement.

Une fois la commande passée, je m'aperçois que l'un des serveurs me fixe, mais je dois rêver.

— C'est vraiment bizarre d'être avec vous comme avant alors que je ne suis plus avec François. Tout est si étrange depuis quelques jours...

— Détends-toi, on va le faire revenir, assure Sonia. Si, si, insiste-t-elle, devant mon scepticisme muet mais très expressif, tu vas voir, j'ai une méthode...

Moi, un peu troublée – le garçon ne me quitte pas des yeux :

— Depuis quand il y a des méthodes ?

— L'indifférence. Plus rien. Nada ! Tu coupes tout ! tranche Sonia, une hache entre les dents.

— C'est lui qui a coupé, je rectifie tristement.

— Non mais quand je dis rien, c'est rien. Plus de textos, plus d'enfants, plus de clefs ! poursuit Sonia.

— Waouh, je ne voudrais pas être à la place de ton mari, se moque Garance.

— Vingt ans, ce n'est pas une amourette, je crois bon d'ajouter pour justifier mon attitude actuelle.

— Dix ! La nuit on dort, ça ne compte pas, pouffe Garance dans son verre en arrosant la table au passage.

Mon admirateur se précipite, essuie, débarrasse verres, fourchettes, couteaux, tout en continuant de me fixer tel un toréador soupesant la bête avant l'attaque.

Les trois me regardent.

Se regardent.

Le regardent.

Gênées.

Il part.

Aussitôt elles me tombent dessus.

— Tu as fait une touche ! lance Sonia.

— Arrêtez, les filles.

— Sérieux, le beau gosse est scotché, ajoute Delphine.

— Si, si, il te mate à mort ! enchaîne Garance, qui adore tout ce qui est épicé dans la vie.

Le serveur déboule avec les assiettes, les pose un peu vite, puis repart, sans nous laisser respirer. Ze Kitchen est une ruche maintenant.

En chœur, nous levons nos verres et trinquons pêle-mêle au futur, à la vie, à l'amitié, à nos enfants, oubliant au passage l'amour…

— Et à notre Demi Moore ! m'asticote Garance. Tu sais ce qu'il te reste à faire, poulette...

— Quoi ?

— On voit bien qu'il te trouble, en rajoute Delphine.

— Je croyais qu'on était là pour faire revenir François à la maison, pas pour me jeter dans les bras du premier type venu. Il n'a même pas 30 ans en plus ! Vous êtes dingues ou quoi ?

— Non mais c'est drôle ! réplique Sonia, qui a de moins en moins d'états d'âme.

— Ça ne m'est jamais arrivé à moi, tu as de la chance, avoue Garance.

L'insistance avec laquelle ce garçon me toise relève du sans-gêne le plus total. Je ne suis même pas bien habillée... J'en conclus :

1. qu'il est fou
2. qu'il est con
3. qu'il a parié avec ses copains serveurs qu'il se ferait une trop vieille le temps d'un déjeuner...

Garance nous ramène à nos moutons :

— Bon, il nous faut un plan pour François !

— Je propose l'électrochoc, avance Delphine.

— Oui, quelque chose de violent qui lui remette les idées en place, lui fasse comprendre tout ce qu'il perd, renchérit Sonia.

Comme une gourde, je tempère :

— Mais pour les hommes, la crise de la quarantaine est un moment difficile, peut-être plus que pour nous. Au final, ils sont plus fragiles.

— Le poids des mots, le choc de la photo, sans doute, s'énerve Garance. Tu veux quoi, une couronne d'épines ? La Légion d'honneur ?

Je sais, normalement, je suis pro-François, mais là, il a dépassé les bornes. Réagis bon sang ! Les hommes, c'est comme les enfants, si tu ne leur fixes pas des limites et des règles, ils partent en vrille, crie-t-elle pratiquement maintenant.

Je la contemple, hébétée, puis lui donne un coup de coude.

— Tu hurles, Garance, tout le monde nous regarde...

— Elle a raison, tu es déchaînée, approuve Sonia.

— Oui, mais leur trouver des excuses revient à leur donner raison, intervient Delphine.

— Peut-être. Mais François n'est ni un Don Juan, ni un Casanova, il n'est pas tordu, plutôt fidèle, du moins jusqu'à maintenant..., j'argumente. Donc, soit c'est un passage à vide, soit il est tombé amoureux. Dans le premier cas, quoi que je fasse, il reviendra. Dans le second, s'il revient, c'est par devoir, et non par amour. Donc le seul moyen de savoir, c'est d'attendre.

— Peut-être, mais pas sans rien faire. S'il a pris ce risque, tu n'as pas à subir la situation. C'est trop facile ! explose à son tour Sonia.

— Oui, je sais, ma voisine Marie est pour la vengeance.

— Nous aussi, lancent, lyriques, mes copines déchaînées.

— Notez, si le « mate-à-mort » de service continue à me reluquer, dis-je en lui jetant un coup d'œil que j'espère discret, ma vengeance risque d'être involontaire...

Les trois gloussent.

— Il faut que tu le trompes, qu'il le sache ! Merde alors ! Quels salauds, ces mecs, s'emporte Sonia.

— On est vraiment des pestes, enfin vous surtout. François est aussi votre ami après tout !

— Oui, mais il te rend malheureuse, donc tu as tous les droits, conclut Sonia.

Cela fait une demi-heure qu'il n'y a plus rien dans nos assiettes. Le restaurant est maintenant à moitié vide quand je descends aux toilettes. Lorsque je reviens, mon cœur sursaute. Le beau gosse est à notre table. Incapable de faire face, demi-tour redirection les toilettes, me relave les mains, cinq bonnes minutes. Me demande où est passé mon culot de jeunesse, que sont devenus les petits amis que j'ai conquis puis délaissés, sans une pointe de regret. Possible que Camille soit plus mûre que moi. Remonte courageusement. Il est parti, tout va bien.

— T'en as mis du temps !

— C'est bête, il est venu nous servir le café.

— Plein de charme !

— D'aisance !

— Une vraie gueule !

— Il s'appelle Antoine, j'adore !

— Stoooooop ! Vous êtes folles, toutes les trois... On paye.

— C'est fait ! On t'invite !

Je les remercie en les serrant dans mes bras. J'attrape mon sac, cherche mon iPhone, repère une serviette pliée à l'intérieur... Coup au cœur. Je suis certaine que ce sont les coordonnées du matamore. Dans le mille. Replie le trésor. Rallume mon iPhone, le sourire bananesque, et là je lis :

12h13, de François : « J'apprends par Ethan que tu es déjà avec un autre homme ? »

12h15, d'Ethan : « Mame, je crois que j'ai fait une connerie. Je ne sais pas ce qui m'a pris… »

12h18, de Camille : « Pape vient de me demander si c'est vrai pour ton amant… Ethan m'a dit qu'il avait fait une connerie. Je ne comprends rien. Help ! »

Effarée, je leur montre les textos.

— Ils sont déjà au courant pour Antoine ? rigole Garance qui ne sait pas encore ce que j'ai dans mon sac.

— Très drôle ! Il va falloir que je discute avec mon jeune justicier.

— C'est adorable ! répliquent mes amies en se regardant.

— Formidable ! Je n'ai encore trompé personne et je dois me justifier auprès de toute la famille. Gé-nial !

RÉCAPITULONS

— François me quitte, puis me trompe.

— Ethan m'invente un amant pour me venger.

— Un serveur me drague. Je n'y suis pas insensible.

— Mes copines m'encouragent.

À côté du départ de François, l'effet papillon, c'est de la gnognotte.

Osef mon frère !

9 avril, minuit. Entre sans faire de bruit dans la maison, où seule la cave est allumée. Ethan est au sous-sol… avec Clément, si j'ai bien entendu. Vais éviter de lui tomber dessus maintenant. Ne peux m'empêcher de m'asseoir en haut de l'escalier pour savoir ce que mon fiston ressent.

— Tes vieux sont séparés alors ? demande Clément tout en chatouillant les cordes de sa guitare.

— Ouais…

— Comment tu le prends ? Pas trop le seum ? insiste son grand ami.

— Sérieux, osef mon frère, c'est leur problème je m'en tape comme pas possible, rétorque gracieusement Ethan.

— Ouais mais c'est con, ils s'entendaient bien, c'était dar, regrette mon cher filleul.

— Ouais, c'est vrai. Je pense que le boule ça marchait plus trop, émet mon petit ange.

— Ah ouais ? se moque le fils de Marie la chouette.

— Lol, t'es con, gros. Toi, ça te fout quelque chose que tes vieux soient plus ensemble ? répond grassement mon tout petit bébé.

— Au début, ouais. Mais maintenant ça fait longtemps, donc je m'en branle, analyse subtilement cet enfant formidable.

— OK. Bon, sinon, mec, quand est-ce qu'on se fait une session *Call of* ? J'ai acheté *Black Ops*, il pète sa mère ! J'y ai joué hier, je suis déjà en manque ! éructe cette fois mon Ethan polyglotte.

— Moi je suis toujours sur *MW2*, j'ai hâte de le tester ! T'as commencé le live ou quoi ? finasse Clément.

— Attends deux secondes, mon daron m'appelle... Non, elle ne m'a pas appelé. Mais tu n'es plus à la maison, cher père... Et là j'suis avec Clém, on est occupés. OK. J'lui dis... Désolé, mec, mon père se la joue casse-burnes.

— T'inquiète. Sinon niveau meuf, t'en es où ?

— Bah, toujours avec Apolline.

— Si, si, gros, tu gères ! Toujours ceaupu ? s'enquiert tout en pudeur Clément.

— Non, cousin, fallait que je t'en parle d'ailleurs ! répond le fruit de mes entrailles, aïe, aïe, aïe.

— Ah ouais ?

— On l'a fait y a quinze jours, ça va, c'était dar pour une première fois, frime mon fils.

— OK, frais pour toi, ma poule !

— Au fait, j'aurais pas dû, j'ai dit à mon daron que ma darone avait un mec pour le faire ièche.

— Z'avaient qu'à pas merder aussi. C'est parti, gros, allume la PS3 !

— Bon, on se fait une partie en écran scindé sur Nuketown, tu verras, elle est bien stylée !

— OK, mais rappelle-toi, j'ai jamais joué à *Black Ops*, tu vas me niquer !

— T'inquiète, j'y vais molo, je suis pas un bâtard.

Hum.

Lexique à l'usage des parents et autres adultes perplexes

Notez qu'à partir de 15 ans, leur vocabulaire contient chaque fois plus de mots en verlan. Cela nous dit forcément quelque chose, n'est-il pas ?

Vieux : parents.

Le seum : la misère.

Osef : je m'en fous, je m'en moque.

C'était dar : c'était super, c'était bien.

Le boule : le cul, le sexe.

Lol (*lot of loughs* ou *laugh out loud*) : mort de rire.

Gros : mec, mon ami.

Session : une partie.

Black Ops : nom du jeu *Call of Duty Black Ops 4* vendu à ce jour à 14 millions d'exemplaires dans le monde.

Pète sa mère : c'est génial.

MW2 : issu du jeu *Call of Duty Modern Warfare 2*.

Live : jeu en réseau, en ligne.

Daron, darone : père, mère.

Ceaupu : puceau.

Cousin : pote, ami.

Frais pour toi, ma poule : génial pour toi, mon ami, je suis content pour toi.

Ièche : chier.

Écran scindé sur Nuketown : issu du jeu *Call of Duty Black Ops*.

Stylé : classe, intéressant.

Bâtard : salaud, méchant.

Vengeance à Colombes City

Premier round

9 avril, minuit et quart. Le vocabulaire de mon fils a bien évolué depuis l'an dernier. Je finis par descendre à la cave.

— Salut les enfants ! Il serait peut-être temps d'aller se coucher, non ?

— Bonsoir ! me répondent-ils en chœur, les yeux et les mains rivés respectivement à l'écran et aux manettes. Ça va mame ?

— Oui, tu peux monter deux secondes pour m'expliquer ce qui t'a pris ?

— Ouais, marmonne Ethan en arrêtant la partie et me suivant au rez-de-chaussée. Tu m'attends, gros ? ordonne-t-il plutôt qu'il ne demande à Clément.

Je prends une bouteille de jus d'oranges, lui en sers un verre.

— Alors ?

— Ben, j'ai dit à pape que tu avais un mec.

— Qu'est-ce qui t'a pris ?

Il hausse les épaules sans me regarder :

— Je me suis dit qu'il reviendrait, qu'il serait jaloux...

— Ethan, ce ne sont pas tes affaires, tu ne peux pas régler nos problèmes. C'est à nous de le faire.

132

— Mais ça fait un mois qu'il est parti. Après ce sera trop tard !

— Quinze jours.

— Longtemps.

Je prends cet idiot qui me dépasse d'une tête dans mes bras,

— Ethan, ce n'est pas aussi simple. Ne t'inquiète pas.

Puis je me recule pour voir sa bouille. Il a la larme à l'œil, mais a parié avec je ne sais qui qu'elle ne tomberait pas, c'est sûr. Je l'embrasse encore.

— Tout va s'arranger. Raccompagne ton bâtard de copain, allez.

Il me contemple, admiratif :

— Mame, t'es stylée quand tu parles comme ça !

Marie a raison, je dois réagir. Je monte au premier, Félix sur les talons, m'assois sur mon lit et, déterminée, appelle François. Pas de réponse. Tant pis. La messagerie fera parfaitement l'affaire.

— François, c'est moi. Ethan croyait bien faire en te disant que j'avais quelqu'un. C'est faux évidemment. En revanche, je sais que tu es avec une femme. Je veux divorcer.

Et voilà ! Je ne sais pas si je pense ce que je viens de dire. Mais je ne vois pas d'autre solution. Peut-être cette phrase déclenchera-t-elle une réaction chez ce nouveau François qui commence à m'être si étranger...

Cherche dans mon sac la fameuse serviette laissée par Antoine. Un prénom, un numéro. Hésite entre appeler et texter... Choisis le SMS.

« Cessez de chercher votre serviette partout, je l'ai retrouvée dans mon sac... Si vous voulez la récupérer, suis à votre disposition », non, c'est nul. J'efface. « Voyons-nous autour d'un verre... », ça fait vraiment vieux vicelard qui invite sa secrétaire. « Mangeons un morceau ensemble », voilà. Manger, c'est déjeuner, dîner ou grignoter... C'est parfait. J'envoie.

Le lendemain matin, je prépare le petit déjeuner, Camille me rejoint dans la cuisine.

— Tu t'es habillée jeune aujourd'hui, m'ausculte ma fille.

La tête ailleurs, je ne réponds pas, continue de retourner les Toast-up.

— C'est pour ton nouvel amant ? plaisante-t-elle.

Je sursaute, prise au dépourvu :

— Comment tu sais ?

Camille, troublée :

— Comment je sais quoi ? Tu trompes papa ? Mais je croyais que c'était Ethan qui...

— C'est de ça que je parle, je mens très mal... Quelle drôle d'idée quand même. Je me demande ce qui lui est passé par la tête à ton frère...

— Il n'y a pas que lui qui fait n'importe quoi. Tu es bizarre en ce moment...

Moi, dans ma barbe :

— C'est ton père que je trouve bizarre, moi, tu vois...

— Il a le droit ! le défend-elle en me dévisageant.

— C'est bon, on ne va pas recommencer. Je sais que moi aussi l'an dernier, etc.

Camille, furieuse, tourne les talons.

Me dis que je vais finir seule, abandonnée de tous. Ne surtout pas oublier de nourrir Félix au cas où il déciderait lui aussi de partir...

Miracle de la technologie, mon iPhone affiche un message d'Antoine au moment même où François s'inscrit en appel.

Je décide de répondre pour en finir avec lui.

— Alice ?

— Qui veux-tu que ce soit ?

Il attaque :

— Tu m'inventes une maîtresse alors qu'Ethan me dit que tu as un amant, tu es incroyable !

Je contre, sévère :

— Ne mens pas. J'ai la preuve.

Lui, d'une mauvaise foi écœurante :

— La preuve ? Mais de quoi tu parles ? Je te promets, je n'ai personne. Je te l'ai dit, j'ai besoin de temps. Pas de coucher avec une fille !

Moi, dégoûtée :

— Arrête. Je suis au courant. Je veux divorcer.

Lui, champion du monde au poker menteur :

— De quoi ? Je te dis que je t'aime et qu'il n'y a personne !

Ça y est, là j'ai ma dose. Je hurle :

— Tu es un sale menteur, tu te fous de moi. Et ça, je ne te le pardonne pas. Pour ce qui est de la preuve, je te l'envoie tout de suite. Je ne veux plus jamais te voir.

Je raccroche, haineuse, à bout de souffle, et prépare mon envoi, la fameuse preuve accompagnée d'un « Tu es trop con », non, j'efface. Ce n'est pas assez... « Va te faire foutre », non, c'est vulgaire. Ça y est, j'ai trouvé : « Et surtout continue de ne pas me tromper... Tu fais ça très bien. » Je clique sur envoi, jette l'iPhone sur le lit. Camille et Ethan me rejoignent. Mes cris, sans doute...

Je me mets sous la couette, me recroqueville, sanglote comme un bébé. Mes deux mutants s'assoient par terre de part et d'autre du lit, posent leurs têtes à côté de la mienne.

J'en oublie le texto d'Antoine. Il attendra. François, lui, ne me rappelle pas. Voilà. L'opération « Vengeance à Colombes City » a commencé.

RÉCAPITULONS

Partir, rompre, plaquer, prendre l'air, en changer, se quitter, s'en aller, laisser, claquer la porte, prendre le large, la tangente, se tirer, se barrer, se casser, s'éloigner, se fâcher, je connais. Mais divorcer ? C'est la première fois que je prononce ce gros mot à haute voix devant le principal intéressé. Hum.

Deuxième round

10 avril au soir. Toujours pas de nouvelles de François.

Antoine me donne rendez-vous au Fouquet's mardi à 19 heures. J'accepte malgré le côté bling-bling de l'adresse. Pourvu qu'il ne porte pas de Rolex...

Garance, que je retrouve au musée d'Art moderne (une soirée privée organisée par *L'Express* – ne surtout pas rater Larry Clark : c'est extraaa-or-di-naiiiii-re, m'a éclaboussée le journaliste culture du canard pour lequel je pige), n'en revient pas. Apparemment mon « Je veux divorcer » lui confirme ce qu'elle croit depuis toujours à mon sujet :

— Tu es sacrément gonflée, me lâche-t-elle, admirative. Moi j'ai simplement le sentiment d'avancer dans un brouillard épais et sans fin.

— Et il n'a pas rappelé après ton texto... Il doit être mal.

— À mon avis, je réponds lexomilisée, il s'en fout, il doit se prendre pour un jeune homme qui démarre une nouvelle vie... Puis brusquement sensibilisée par le spectacle morbide : Elles sont glauques quand même ces photos... Regarde le gamin en train de se piquer... Et cette jeune femme enceinte qui se shoote...

— Et celle-là... Ils sont trois à poil sur le canapé, non ? Je m'interroge en songeant brutalement à mon fils que je n'ai pas vu nu depuis ses 6 ans...

— Rassure-moi, nos enfants ne sont pas comme ça si ?

— Alice, détends-toi. Ce n'est pas un reportage sur la vie dans les cités de Colombes...

— D'accord, mais elle a quand même été interdite aux moins de 18 ans...

Garance, les sourcils froncés devant une énième scène de défonce, poursuit :

— C'est surtout à nous qu'il faudrait l'interdire, on a passé l'âge de ce genre de chocs visuels ! On pourrait être leurs mères... T'as raison, c'est déprimant.

— Basquiat non plus n'est pas très gai. En plus, il est mort d'une overdose à... 28 ans ! Quelle horreur !

La sonnerie du téléphone de Garance interrompt nos brèves de musée.

— C'est François, me susurre-t-elle en faisant des grimaces ridicules. Non, rien, François, je t'écoute. Alice ? Non je ne sais pas où elle est... Pourquoi ? Non, au courant de quoi ? feinte-t-elle en essayant de comprendre les signes abscons que je lui fais. Déconné, toi ? Non, elle ne m'a rien dit... Oh, tu sais, on n'est pas scotchées toutes les deux... La photo ! Quelle photo ? Noooon, s'étonne-t-elle, faussement sidérée. Je te jure, je ne vois pas de quoi tu me parles...

Pas le choix, suis obligée de prendre mon mal en patience, François est très disert.

Garance finit par s'asseoir en face d'une photographie où un jeune garçon à l'érection fort respectable s'apprête à rejoindre une fille très fatiguée qui se repose sur les cuisses d'un troisième...

— Mais t'es con, François, pourquoi tu as fait ça ? Une... erreur ? Le divorce ? Noooon ! Elle aurait pu m'en parler quand même, lui ment-elle avec un naturel par-fai-te-ment désarmant, ses yeux plantés dans les miens. Bon, là je suis au Monop... Je te tiens au courant si j'ai des news.

Je la félicite, impressionnée par ses talents de bluffeuse.

— Oui, ben, il est malheureux ton mari.

— Et alors ? Il faut que je rampe ?

— Non, évidemment, mais il n'arrête pas de parler de la famille que vous formez...

— J'en étais sûre. C'est exactement ce que je pensais ! Il est malheureux pour sa famille, pas pour moi ! Il peut aller se faire foutre ! je persifle sous les regards ahuris des visiteurs.

Vibration dans ma poche. Je regarde l'écran de mon ear-toy : « J'ai hâte pour ce soir... », signé Antoine.

— Oh, je sens qu'il va être collant le matador, dis-je à Garance qui me suit vers la sortie.

RÉCAPITULONS

Ne pas oublier que l'inconscient n'a pas d'âge. Jamais su me conduire en adulte. Ne sais pas ce que cela signifie. Surtout en amour. Je pense même que c'est lors de ces épreuves que nous redevenons des enfants. Incapables de nous raisonner, désarmés.

Troisième round

11 avril au soir. Il n'est pas collant Antoine, il est trop jeune. Je m'en aperçois dès mon arrivée au Fouquet's. Ai la singulière impression d'avoir Orlando Bloom en face de moi, le gel fixation forte Fructis en prime.

Me demande comment toutes les quatre on a bien pu se pâmer devant ce minet attardé. L'uniforme sans doute... Dans l'ambiance du Ze Kitchen Galeri, il était branché, nous ivres. Ici, c'est un ado que je découvre, atterrée. Je songe aux têtes que feraient Ethan et Camille en me voyant en sa compagnie... J'en frissonne. Préfère chasser immédiatement cette idée de mon esprit.

En plus, je l'aurais parié, il ne s'appelle pas Antoine, mais Antonio. Les prénoms, c'est générationnel. La mode est aux prénoms en O pour les gars, en A pour les filles depuis le milieu des années 85. J'en déduis qu'il a moins de 30 ans.

Pour que le matador cesse de me fixer de ses yeux d'elfe archer, je tente un :

— Sympa le resto où tu travailles.

— Oh, c'est juste un petit boulot, fait-il en passant les mains dans ses cheveux. C'est un bon endroit pour être repéré, poursuit-il en hélant le garçon auquel il demande deux coupes de champagne, sans me demander mon avis...

— Repéré ?

— Oui, il y a pas mal de people là-bas.

— Tu es musicien ? je lance au hasard.

— Non, corrige-t-il comme si j'avais dit une énormité, je suis *comédien*.

— Vous êtes tous comédiens à cet âge... C'est quoi d'ailleurs ton âge ? je demande, faussement décontractée.

— Vingt-huit ans.

— Ah quand même...

Je m'étrangle à moitié. Dix ans de plus que Camille, seize de moins que moi !!!

— Je ne t'aurais pas vu dans une série ?

Sa tête m'est brusquement familière.

— *Qui veut épouser mon fils ?*, tu connais ? avoue-t-il, un peu gêné.

J'en avale de travers. Je hoquette en priant intérieurement pour qu'il ne soit pas l'un de ces abrutis qui passent à la télé avec leur mère pour dénicher le pigeon de service.

— J'ai été casté. Je passe à la télé depuis trois semaines. C'est ma mère qui a insisté, se justifie-t-il.

Je le fixe, médusée, en hochant la tête. Pense à Garance, Sonia, Delphine... Bref, à tous ceux qui sont susceptibles de comprendre mon désarroi.

Tout à coup je me souviens :

— Ta mère, ce n'est pas la brune corbeau, à la peau oran... pardon, très bronzée qui met du crayon marron foncé autour de la bouche ?

Il acquiesce, dans ses petits souliers.

Ça y est, tout me revient.

— Et qui dit : « Mon fils a une grosse voiture, aime la vitesse, a besoin d'une femme attentionnée à la maison » ?

— Ouais, elle a un peu exagéré... On cherche pas une boniche non plus ! pense-t-il me rassurer.

— Tu veux dire que c'est vrai, ta mère cherche à te caser... à la télé ?

Je m'étouffe littéralement en repensant aux propos de ma fille sur ce jeu débile.

— Oui, elle est très midinette. Mais c'est râpé, depuis que je t'ai vue, c'est toi que je veux.

Je cherche les caméras cachées. Je regarde autour de moi, m'attends à découvrir François Damiens, un bras girafe surmonté d'un micro dans les mains.

— Tu-me-veux ?

Lui, très sérieux :

— Coup de cœur, fait-il en tapant du poing sur sa poitrine. Tes yeux, ta bouche... Tu lui ressembles tellement...

Moi, toujours à la recherche d'un Jean-Yves Lafesse en planque...

— À qui ?

— À ma mère.

C'est le pompon.

— Tu sais, j'ai l'âge d'être ta mère..., je cherche à le décourager.

— J'adore ça, pense-t-il me gratifier du plus beau des hommages...

— Enfin pas tout à fait, je rectifie, incorrigible.

J'avale le reste de mon champagne cul sec. Antonio hèle à nouveau le garçon.

— La même chose, fait-il en indiquant les deux coupes vides.

Je jette un coup d'œil sur mon iPhone. Il faut que je sorte de ce mauvais film à tout prix.

— Mince, je n'ai pas vu le temps passer. Ma famille m'attend.

— Je croyais que tu étais divorcée.

— Comment tu sais ?

— Parce que ça se sent que tu cherches, insinue le matador, qui commence à me taper sérieusement sur le système.

L'observe tout en haussant les épaules.

— Je ne comprends pas.

— Parce que je sens que tu as envie de te faire un petit jeune... L'autre jour, au milieu de tes copines, c'était flagrant.

Moi, franchement énervée maintenant :

— C'est toi qui n'arrêtais pas de me fixer !

— Je ne faisais que répondre à ton appel...

Ce type est un grand malade. La star du petit écran me dévisage, désormais, certain que je suis à lui, attrape son BlackBerry en me disant :

— Je vais dire à ma mère que j'arrête l'émission.

— Antonio, tu es sous contrat, tu ne peux pas le rompre comme ça sur un coup de tête !

— Un coup de foudre !

— Arrête avec ça, s'il te plaît, tu pourrais être mon fils... Il faut que j'y aille.

J'ai la tête qui tourne.

— Merci pour ce verre... C'était vraiment très... instructif, je poursuis péniblement.

— On se revoit bientôt ?

— On se rappelle, d'accord ? Là, je vais chercher du Dafalgan au Drugstore à côté. J'ai une de ces migraines...

— Tu ne me rappelleras pas, pressent-il, fin limier.

— Ma vie est compliquée en ce moment, franchement je ne crois pas que ce soit très raisonnable. Allez, tu as toute la vie devant toi !

Je m'entends parler à Ethan.

Antonio me regarde penaud tandis que, perchée sur mes talons, mon décolleté profond à nouveau caché dans mon faux pashmina, je me précipite dehors et arpente les Champs-Élysées pour atteindre au plus vite le Drugstore Publicis.

Il est 20 h 30 quand, débarrassée du matador, je me dis que j'ai échappé à deux fléaux : la cougar attitude et la téléréalité. L'honneur est sauf.

Toujours pas de nouvelles de François.

Me demande bien ce qu'il peut faire.

Dîner ?

Baiser ?

Travailler tard comme toujours ?

Quand j'entends de l'autre côté du gigantesque mur de journaux une voix... La sienne ! Un comble. Lui qui déteste cet endroit, « trop cher, trop touristique, trop impersonnel ». Une femme lui répond. Mon cœur bondit. Lui pour qui je suis soi-disant la seule... Qui a enfumé Garance qui le prend pour une victime... Une main se pose sur mon épaule. Je sursaute.

— Toujours mal à la tête ? me susurre Antonio.

— De plus en plus mal, dis-je en me frottant les tempes.

Au même moment, François sort de sa tanière. Deux par deux, les uns derrière les autres, nous nous retrouvons empêtrés dans le tourniquet du Drugstore. Chacun observe l'autre. Sans un mot.

Brusquement inspirée, je colle ma bouche à celle d'Antonio. Tente de faire abstraction de cette langue qui encercle nerveusement la mienne.

Un court instant, j'espère que mon mari va nous séparer, casser la figure du garçon qui maintenant procède à l'inspection de mes amygdales. Mais non, François est bien trop occupé à soutenir sa « compagne » pour qu'elle ne trébuche pas dans le vantail de la porte. Je ne peux plus respirer, repousse le vaillant séducteur qui ne se laisse pas démonter. Il va me culbuter là ! Au secours !

François me toise, puis prend le bras de sa dulcinée, totalement insipide, je le note au passage, et s'en va d'un pas digne, l'air blessé...

Je mords la langue d'Antonio, seul moyen de me débarrasser de cette ventouse à tête chercheuse.

— Mais tu es dingue ! me fait-il en touchant son organe charnu.

— Désolée. C'était mon mari et... je ne sais pas ce qui m'a pris... Il a une nana et c'est la merde.

RÉCAPITULONS

« Il est joliiiiiiiii...
Comment peut-elle encore lui plaaaaaire
Lui au printemps elle en hiveeeeeer... » Sergio Reggiano.
Trêve de plaisanteries. N'ai plus à me demander quelle sensation j'éprouvais en embrassant un garçon de vingt ans mon cadet. Elle est clairement violente.

Quatrième round

12 avril, tôt le matin. Garance, à laquelle je raconte l'intégralité de cette soirée ridicule, n'en revient pas. Mais elle est bien plus intéressée par le héros de téléréalité dont j'ai mordu la langue que par mon traître de mari...

— Garance, lâche-moi avec Antonio...

— Tu roules une pelle à un pur spécimen de l'ère télévisuelle du XXIᵉ siècle, et tu n'as rien de spécial à dire ? trépigne mon amie à l'autre bout de Paris.

— C'était juste pour faire enrager François...

— Il a bon dos ton mari !

— Franchement, tu me vois coucher avec un garçon de 28 ans ? Sois sérieuse, deux secondes.

— Tu ne serais pas la première..., me titille-t-elle.

— Je suis trop vieille.

— Tu progresses, ce n'est plus François l'obstacle, analyse ma camarade, subtile.

— J'admets. Les règles du jeu avec François sont caduques… On doit se frotter à la vie.

— Très imagé…, ironise-t-elle. Elle a quelle tête la nouvelle fiancée de François ? C'est la même que sur la photo ? croit-elle raisonnable de demander.

— Tu voudrais qu'il en ait deux ? je réponds sur mes gardes.

— C'est peut-être une copine…, propose mon amie, sur des œufs.

— Oui, une copine, merci Garance pour ton aide. Tu es brillante ce soir.

— J'essaye de détendre l'atmosphère. Attends deux secondes, j'ai un double appel…

— C'est ça…

Garance me reprend :

— C'était François.

— Il t'a dit quoi ?

— Rien, je lui ai demandé de me joindre plus tard.

— Pourquoi c'est toi qu'il appelle ? On n'a plus 12 ans, je lui jette, agacée.

— Je crois que tu lui fais peur… Tu n'es pas évidente quand tu…

— Je te laisse, j'ai un double appel.

Max.

Le seul que j'aie envie d'entendre !

Comment ne l'ai-je pas appelé avant ? Ne serait-ce que pour le féliciter pour son mariage. Suis en dessous de tout.

— Comment ça va ma vieille ?

— Arrête, ce n'est vraiment pas le moment.

— Quoi de neuf ? enquête-t-il.

— Que du neuf dans du vieux…

146

— Ce serait bien qu'on se voie avant mon mariage non ? me propose-t-il, spécialiste du prêt-à-aider.

— Demain chez Carette à 13 heures ?

— C'est parfait.

Les « trop » et « pas assez »
de François

François a bien rappelé Garance.
En résumé ? Rien ne va.

Il se sent de *trop* à la maison.
Trop vieux.
Ses enfants ont grandi *trop* vite.
J'ai beaucoup *trop* changé.
Je ne l'aime plus *trop*.
Il ne me plaît plus *trop*.
Il ne sait plus *trop* qui il est.
Il ne sait plus *trop* ce qu'il vaut professionnel-
lement.
Je suis *trop* complice avec mes amies.
Il ne sait plus *trop* ce qui le retient à la maison.

En contrepartie :
Je ne suis *pas assez* amoureuse de lui.
Les enfants ne sont *pas assez* à la maison.
Nous ne sommes *pas assez* en famille.
Je ne suis *pas assez* attentionnée.
Il n'est *pas assez* heureux.
Je ne m'intéresse *pas assez* à lui.
Je ne me confie *pas assez* à lui.

RÉCAPITULONS

Je ne suis que *trop* d'accord avec lui, mais *pas assez* pour passer l'éponge sur ses incartades conjugales.

Max, mon coach personnel

14 avril, 13 heures. Max est un expert de l'âme, un empêcheur de vivre en rond. Dissèque les problématiques humaines comme d'autres résolvent des formules mathématiques. CQFD.

Après l'avoir félicité pour son mariage (à 50 ans !), je lui annonce le départ de François.

— Voilà enfin quelque chose de sain, commente-t-il, à peine troublé.

— Sain ?

— Oui, vous êtes englués depuis des années. Il casse l'arrangement... Ça ne t'est jamais arrivé à toi de vouloir partir ? me rappelle mon ami.

— Oui, mais non seulement je ne l'ai pas fait, mais en plus je ne me suis pas trouvé un amant deux semaines plus tard...

— Il a une maîtresse ?!

J'acquiesce tristement.

— Mais c'est rassurant ça, insiste Max qui voit la vie en rose. Ça vous fait du bien à tous les deux.

Max et ses raisonnements...

— Ça, comme tu dis, c'est de la théorie.

— Tu aurais envie qu'il revienne et que vous repreniez votre routine ?

— Non, dis-je sans hésiter. Mais je fais quoi ? J'attends que monsieur se décide ?

— Tu utilises ce temps pour te retrouver. Tu réapprends à être toi-même, à cibler tes envies, tes désirs...

— En parlant de désir, je me suis fait draguer par un petit jeune...

— François est au courant ? s'enquiert Max qui commence à trouver mes aventures palpitantes.

— Comme on s'est croisés tout à fait par hasard, lui avec sa conquête et moi avec mon trophée...

— Et alors ?

— J'ai embrassé Antonio pour rendre François jaloux.

Max est écroulé de rire.

— Tu as de ses nouvelles ?

— Par Garance. Il m'aime, mais notre vie ne lui convient plus.

— À toi non plus, remarque-t-il à juste titre. Renouveler son couple après vingt ans comporte des risques...

— Oui, comme celui de s'apercevoir que l'on est mieux séparés. Et si lui... et si je...

— Alice, arrête ! Vous avez autant besoin d'air l'un que l'autre, avant de passer à la suite... D'air et de sexe. J'en suis la preuve vivante !

— C'est vrai qu'en la matière tu as fait fort. Et cette fois c'est pour de bon ? Tu es amoureux ?

— En fait, ce n'est pas si simple... Mon premier grand amour a refait surface cette semaine. Tu dois t'en souvenir... Sandra...

— ... La couverture me gratte ?

Il sourit à ma blague idiote.

Je l'ai toujours dit, il n'y a pas de hasard...

— Qu'est-ce qu'elle te veut ?

— Elle *me* veut.

— Décidément, je réfléchis tout haut, c'est une manie de vouloir les gens en ce moment.

— Elle vit en Italie, a deux enfants et divorce pour revenir en France.

— Non ! je sursaute, puis pose mes mains sur les siennes en le fixant droit dans les yeux pour le désenvoûter. On est d'accord, Max, ce n'est plus ton problème ! Tu te maries...

— Oui, enfin... ça m'a fait un choc. Je l'avais totalement occultée pendant des années, et là sa réapparition m'a fait tout drôle. Je n'en ai pas parlé à Luna... Tu imagines...

— Ne me dis pas que tu es retombé amoureux !

— Je ne sais pas... Je ne suis plus sûr de rien... 50 ans... Le choix est cornélien...

— Oh, Max, pas toi... Nous sommes tellement heureux pour toi.

— Oui, ça vous rassure que je me marie. Enfin casé le Max ! Il ne va plus sévir dans la rubrique faits divers...

— Tu veux mon avis ou tu as déjà décommandé la pièce montée ?...

— Non, non, je suis perplexe pour la première fois de ma vie.

— Il était temps ! Les gens normaux passent les trois quarts de leur vie à être perplexes... Essaie de maintenir le cap. Marie-toi. Ce retour inopiné ressemble comme deux gouttes d'eau au dernier piège tendu par le destin au héros. Une fois vaincu, il sera adulte...

— Oui, tu dois avoir raison, mais je suis comme un môme à qui l'on demande de choisir entre les nounours à la guimauve qu'il connaît si bien et la nouvelle Chupa-Chups au fruit de la passion.

— Je compatis réellement. Enfin moi, à ta place, je ne changerais pas mes plans. C'est trop facile de réapparaître comme un fantôme...

— Tu as raison. Je crois que je vais filer droit. Après tout le mariage n'est pas un enterrement ? me sourit-il, désarmant.

— Exactement, je l'approuve, rassurée, et puis le truc génial avec le mariage c'est la possibilité de divorcer, ça ouvre des perspectives...

Je quitte Max en me disant que je devrais cesser de sous-estimer l'ironie du sort. Elle est un peu à tous les coins de rue, cette traînée ! Consulte mon iPhone : « Mordu de toi. Prêt à recommencer. À condition que tu enlèves tes canines ☺ » Je souris. Jaune.

RÉCAPITULONS

Si même mon coach flanche, je déclare forfait !

Happy divorce to you !

15 avril. Antonio ne m'est pas aussi indifférent que je le crois. Vivre d'air, d'eau fraîche et de sexe ? Max a raison.

C'est (presque) sereine que j'aborde la divorce party de Fanny. La petite piqûre de rappel textée à ses cinquante amis est également publiée sur sa page Facebook. Aller à cette fête new age sans Garance est inenvisageable.

Depuis qu'elle est au courant, elle trépigne de curiosité.

So do I.

Antonio, lui, m'envoie texto sur texto. Le dernier : « Aimerais rester enfermé avec toi dans un tourniquet toute ma vie. »

Hum.

C'est sur une péniche amarrée que se déroulent les festivités. Garance me redemande pour la énième fois s'il faut « venir habillée ». Je lui réponds pour la énième édition qu'il est assez rare de sortir à poil. Ce à quoi elle ricane :

— C'est bon, ne joue pas sur les mots... Alors, je me sape ou pas ?

Je finis par lâcher :

— C'est moi qui drague, pas toi. Viens telle quelle.

Dans la C2, Garance me raconte son coup de fil avec François. Rien de palpitant. Si ce n'est, me dit-elle, que « vous lui manquez, les enfants et toi » et qu'elle est certaine qu'il reviendra. Je joue les mystérieuses en lui répondant que j'ai d'autres plans.

Le pied à peine posé sur le bateau (est-ce le souvenir de notre tour du monde à la voile avorté ? le dégoût que m'inspire la trahison de François ? l'écœurement provoqué par le début de la mienne ?), je suis prise d'une nausée irrépressible. Pas un mal de mer franc. Non, un malaise mou qui me rend flottante...

Fanny, resplendissante, ne fait pas ses 48 ans. Plus de poches sous les yeux, ni de pattes d'oie. À croire qu'elle est perfusée au Botox... Et délestée, tout comme François (suis paranoïaque et jalouse), d'un passé lourd de compromissions et d'emmerdements.

De tous les invités, je suis apparemment la seule à ressentir l'imperceptible mouvement que produit cette joyeuse plateforme pleine à ras bord de CSP+, d'artistes et... de bobos trentenaires. Forcément. En se libérant des chaînes du mariage, Fanny n'est plus obligée de se farcir les relations de son ex dont l'absence est joyeusement fêtée.

Ai du mal à m'identifier à l'héroïne du jour. Suis plutôt de tout mon mal au cœur avec le mari quitté...

Mon identification s'accroît d'un cran lorsque déboule, poussée par un jeune gars, la pièce montée. Au sommet trône un couple en pâte d'amandes. À leurs pieds, la tête de l'époux, tranchée, se vide doucement de son coulis de framboises...

C'est là qu'un haut-le-cœur plus violent que les précédents me précipite vers le pont où je vomis par-dessus bord sous les yeux de quelques fumeurs dégoûtés.

Humiliée, je grimace un sourire, puis rampe à l'intérieur quand Garance se jette sur moi, déjà éméchée :

— T'étais passée où ? T'as vu le gâteau ? C'est drôle non ?

— Violent aussi, lui dis-je en me tenant le ventre.

— C'est une agence qui lui a monté cette fête...

— Ils doivent faire fortune ces gens... On est censés lui souhaiter un joyeux divorce ?

— Comment tu sais ? dit-elle en me prenant par le bras. Écoute ! Je tends l'oreille. Effectivement, Stevie Wonder s'est, lui aussi, adapté, et chante « Happy di-vooorce tuyu ! ».

Garance, qui est allée à la pêche aux infos, éclaire ma lanterne :

— C'est David Guetta qui a remixé la chanson...

J'ai très envie de couper court à sa chronique people, quand j'aperçois François sur le radeau. Je me raidis et me dis que j'ai de la chance : j'ai déjà vomi.

« Qui a bien pu l'inviter ? » est la première question qui me vient à l'esprit (François ne connaît pas Fanny).

« Est-il venu avec sa maîtresse ? » la deuxième.

« Vais-je lui adresser la parole ? » la troisième.

Je donne un coup de coude à Garance qui continue de raconter des sottises alcoolisées à qui veut l'entendre.

— François vient d'arriver !

Brusquement dégrisée et un peu gênée, me semble-t-il :

— Merde...

— Comme tu dis ! Qui a bien pu l'inviter ? je la fixe, soupçonneuse...

— Je ne sais pas moi..., me répond-elle dans ses petits souliers.

François (me ?) cherche (peut-être) des yeux... mais ne (me) trouve pas. Il ressort.

— Il est étrange quand même, non ?

— C'est du François tout craché. Il est myope, me fait-elle, visiblement soulagée par la diversion que je lui offre sur un plateau d'argent.

Elle a raison. François revient et m'aperçoit enfin.

Oubliés, Antonio et ses textos enflammés.

Suis Cendrillon avant le dernier coup de minuit.

Comme au début.

Il est séduisant, mystérieux, n'ose pas trop s'approcher, me sourit, irrésistible.

Ai l'étrange sensation de le rencontrer pour la première fois.

Plus personne ne pourra nous séparer.

Nous sommes seuls au monde...

Il se dirige maintenant vers moi qui, les yeux mi-clos, attends ce baiser que nous allons échanger, lui et...

— Tu vois ? s'avachit sur moi Fanny, ivre. Quand ton salaud de mari aura décidé de revenir, hop, tu le jettes et tu fais la fête.

Un éclat de rire gras ponctue sa sortie.

Je la contemple, consternée. Me lève pour rattraper François. Trop tard. Il a quitté le navire. Je fusille Fanny et me tourne vers Garance :

— On y va, je n'en peux plus. C'est toi qui as dit à François qu'on était là ? Encore une de tes magouilles foireuses !

— Pour une fois que c'est moi, s'excuse Garance.

— On n'a plus 12 ans, poulette, on est dans la vraie vie là !

— Poulette, comme tu dis, elle t'a accompagnée au golf, s'est ridiculisée une paire de jumelles autour du cou et a passé l'après-midi planquée dans une voiturette avec sa vieille copine qui le lui avait demandé.

Effectivement.

Nous repartons, elle et moi, vers la voiture, à peine dégrisées, nous tenant par l'épaule pour ne pas tomber.

— Il a vraiment dû croire à un coup monté...

— Tu crois ?

— Mais qu'est-ce que tu lui as dit ?

— Rien. Juste qu'on était ici... Il a peut-être une nana mais il n'est pas en grande forme.

— Eh bien on est deux.

RÉCAPITULONS

Les amies qui vous veulent du bien devraient parfois vous demander l'autorisation avant de vous aider. Cela éviterait de semer le doute dans l'esprit des deux héros tragiquement séparés par le destin.

Complètement stone !

16 avril. M'aperçois avec étonnement que je suis moins obsédée par mes rides depuis qu'Antonio *me* veut. Merci, Antonio Placebo.

Texto du jour

« Un truc important à vous dire. Le Chien qui fume à 20 heures ? ☺ » Le SMS est signé Sonia. M'attends à tout de sa part. A-t-elle changé de sexe ? Enregistré un duo avec Susan Boyle ? Méfiance : la crise de la quarantaine est protéiforme.

Lorsque j'arrive au restaurant, je me demande quelle mouche l'a piquée. « Magnifique endroit Belle Époque », indiquait le site Cityvox que j'ai consulté avant de quitter la maison pour obtenir l'adresse. Grivois, limite graveleux, je songe en détaillant les peintures animalières qui recouvrent les murs : principalement des chiens singeant notre quotidien.

Je suis la première. Je m'installe à contrecœur. Le serveur, la soixantaine enrobée et rougeaude, me soupèse puis m'interpelle, faussement flatteur :

— Alors, jeune fille, ce sera quoi pour vous ?

— Une San Pel, j'opte contre toute attente, soudain consciente que je vais finir comme lui : grasse et couperosée.

Son « jeune fille » m'agace.

Parce qu'il sonne faux.

Parce qu'il est destiné à me rassurer.

Parce que l'émetteur d'un tel mensonge, un ennemi forcément, sait d'un simple regard que je suis plus près de la maison de retraite que de l'école maternelle.

L'irruption de mes amies met fin à mes ratiocinations paranoïaques.

Le « C'est super moche ici, Sonia, c'est quoi ce resto ? » de Garance confirme ma première impression. Je lui confie que le serveur est à l'image de l'endroit.

Puis j'interpelle Sonia :

— Alors, ma belle, c'est quoi ta grande nouvelle ? Tu t'achètes un iguane pour mettre dans le salon ?

Delphine m'interrompt :

— D'abord les filles, un petit jeu pour vous mettre en forme.

Elle s'installe, sort de son sac le *Madame Figaro*, le pose délicatement au milieu de la table et nous demande :

— Devinez qui c'est.

— On gagne quoi ?

— Le plaisir de médire, répond-elle.

— Sharon Stone ? je l'interroge après trente secondes de silence perplexe.

— C'est elle ? s'écrie Sonia en s'emparant du journal. Mais qu'est-ce qu'elle a fait ? On dirait sa fille !

— Je ne sais pas, mais ça donne le vertige..., parvient à articuler Garance, les yeux ronds, en le lui prenant des mains.

Effectivement, la quinqua la plus belle du monde est méconnaissable.

— Maintenant les filles, écoutez ça.

Delphine se met à lire l'interview de Sharon en minaudant :

— « Je représente la crème Capture, produit de recherches au plus haut niveau dans les meilleurs laboratoires. »

Delphine lève les yeux vers nous, qui l'écoutons bouche bée.

— Si, si, elle parle comme ça Sharon, je ne vois pas ce qui vous dérange. « J'adore les cosmétiques, poursuit-elle. C'est un business très sérieux. » Tu parles, c'est surtout juteux, commente, ironique, notre amie. Mettez Capture sur votre derrière, vous verrez la différence. Et puis ça évite de passer trop vite à la chirurgie esthétique... Alors ? nous jauge-t-elle en lâchant le journal.

— Comment peut-on dire de pareilles inepties ? s'exclame Sonia.

— Regardez, elle est redessinée, fais-je remarquer aux autres en mettant mon doigt sur les yeux, le cou, le menton, le bras de Sharon...

— Tout est faux. Photoshop, quelle plaie...

Elles acquiescent.

— Dans les féminins, pas une seule photo n'est vraie. Elles sont toutes retouchées. Visages, bras, jambes, tout y passe..., je raconte, mi-blasée, mi-excédée.

Le journal circule entre nous, tandis que j'enchaîne :

— Je me souviens même d'une couverture avec Emma de Caunes... Croyez-le ou non, la chef a estimé qu'elle était trop courte du buste et, hop, nous lui avons ajouté une dizaine de centimètres au niveau du ventre...

— Elle devait être contente !

— Tu parles, personne n'est allé le lui dire. Elle s'est trouvée très en beauté, je ris.

— Rappelez-vous il y a quelques semaines la couverture du *Madame* avec Isabelle Huppert, renchérit Sonia.

— Oui, celle où elle a l'air d'avoir été amidonnée puis repassée..., plaisante Delphine, lectrice assidue.

— Non, pas repassée, en rajoute Garance qui tire ses cheveux de toutes ses forces vers le plafond tout en se creusant les joues. Aspirée !

— Exact ! s'esclaffe Sonia.

— Et Charlotte Gainsbourg dans la pub Balenciaga ? ajoute Delphine à l'inventaire. Elle qui a... quoi, 37 ans ? Sur l'affiche, on dirait une prépubère... Son menton a été effacé, son nez retroussé.

Je conclus, théâtrale :

— Comment voulez-vous qu'on se regarde dans un miroir sans pousser un cri d'horreur après ça ?

— C'est clair, murmure Garance, soudain captivée par une brève dans la rubrique « Quoi de neuf ». Monica Bellucci a accouché ! Une petite fille. À 47 ans... C'est drôlement tard, non ? nous interroge-t-elle en levant les yeux.

— Oui mais c'est sympa, c'est vraiment un cadeau ce petit dernier, enchaîne Delphine en nous fixant, Garance et moi, avec insistance.

Laurence Ferrari, Estelle Lefébure, j'ai même une voisine qui a eu sa fille à 48 ans, c'est mignon...

— Mignon ? Ces femmes sont malades ! Elles fabriquent des enfants à l'âge où elles devraient être grand-mères, je tranche, définitive, oubliant que moi-même j'ai eu cette tentation il y a moins de six mois. Pourquoi tu me regardes comme ça, Sonia, j'ai raison, non ? je la questionne, tout à coup prise d'un doute tandis que Delphine me donne un coup de coude. Quand son fils ou sa fille aura 20 ans, Monica en aura 67, c'est... c'est un peu... égoïste, non ? dis-je comprenant trop tard l'appel de phares de ma camarade.

— Je suis enceinte.

« Merde ! » est tout ce qui me vient à l'esprit.

Je peux difficilement dire autre chose après le procès que je viens d'intenter aux quadras irresponsables.

Un second « Merde ! » sort sans prévenir de ma grande bouche.

Sonia, très amusée par la situation, se lâche :

— C'est bon, Alice, je me suis préparée à tout entendre ce soir. Allez-y. Jetez-moi des pierres, vite !

— Sonia... je suis désolée, je n'ai pas compris...

— Oui. J'ai bien essayé de te la fermer, me dit Delphine en m'attrapant affectueusement par le cou, mais quand tu es lancée...

— Je suis vraiment con ! C'est génial, dis-je sincèrement à Sonia, une petite larme d'émotion à l'idée que cette grande gigue va avoir un bout de chou.

— Tu ne nous avais jamais dit que tu voulais un petit deuxième..., souffle Garance.

— Cela fait... quoi, cinq ans qu'on essaye avec Yann, mais je n'y croyais plus...

— Depuis cinq ans !

Mon cerveau ne peut s'empêcher d'imaginer Sonia et Yann en train de forniquer allegretto.

— Là tu m'en bouches un coin...

— Félicitations, fait Delphine en levant son verre.

Nous trinquons toutes les quatre.

Les « Quel choc ! », « Tu repars dans les couches alors ? », « C'est pour quand ? », « Tu vas l'appeler comment ? », « Tu accouches où ? », « Il faut lui acheter quoi ? » s'entrechoquent joyeusement.

— C'est pour mai. Un Taureau, informe Delphine qui, si elle avait pu, lui aurait déjà fait son thème astral...

— Je vais me remettre au tricot, je décrète comme si j'étais soudain en mission commandée.

— Nos enfants vont pouvoir faire du baby-sitting pendant qu'on ira faire la fête, s'emballe Garance.

— Et Yann, je demande soudain, il doit être fou de bonheur ?

— Je viens de le quitter, annonce-t-elle en nous regardant tour à tour.

— Tu le quittes ? Mais ça faisait cinq ans que...

— Oui mais nous nous sommes aperçus que nous étions devenus très bons *amis*. Alors on est très heureux d'avoir un bébé, mais nous l'élèverons chacun chez soi.

Garance, tout aussi ébahie que nous, lâche :

— Qu'est-ce que tu es moderne !

— Et j'ai décidé, poursuit la future maman comme si tout cela coulait de source, qu'elle aurait trois marraines comme la Belle au bois dormant.

Nous, en chœur :

— Elle ?!

— J'ai dit elle ? Mince, je suis déjà en train de traumatiser ce bébé, dit-elle en caressant son ventre à peine arrondi... Vous acceptez alors ?

RÉCAPITULONS

Évidemment, il lui faut bien trois marraines à ce bébé !

Évidemment, quand dans une société qui promeut des notions telles que l'amour, le désir, la passion, c'est-à-dire des choix personnels qui ne sont pas sollicités ou imposés par la famille, nous avons intérêt à être dotés d'un sérieux libre-arbitre.

Évidemment, il faut lire Maurice Godelier, anthropologue et auteur de *Métamorphoses de la parenté*.

Évidemment, en bonne hypocondriaque que je suis, un immense vertige m'envahit. Il n'y a pas qu'à 20 ans que tout est possible ? Il faut recréer sa vie combien de fois au juste ?

J'vous jure, j'ai pas couché !

17 avril, 8 heures. Ai le sentiment d'être dans un avion, sur le point de sauter en parachute. Mais que vais-je trouver à l'atterrissage ?

Suis nue comme un ver. Allongée sur le sol. Incapable de bouger. Ce sont des doigts de pieds que je sens contre ma joue ? Deux bras, fermement accrochés à mes mollets, me retiennent prisonnière... Les vêtements jetés un peu partout dans la pièce me rappellent vaguement quelque chose... J'ai beaucoup bu, grimpé à quatre pattes les six étages pour finir couchée sur le pas de la porte... Antonio (Antonio ?!) a dû me déshabiller... Que s'est-il passé ensuite ?

Une chose est sûre, il croit tenir un ballon de demi d'ouverture au rugby...

Il faut que je m'extirpe de là. Je lui chatouille la voûte plantaire. Rien. Comme chez le médecin lorsqu'il vous tambourine la rotule pour tester vos réflexes, je tapote alors son talon... son pied emboutit ma mâchoire.

Violée (avec moi, pas besoin de GHB, mes comas éthyliques sont rares mais profonds), battue

167

par un homme pendant son sommeil, serais difficilement crédible au poste de police.

Finis par repousser ses pieds avec force, puis me jette en arrière pour ne pas me prendre un deuxième coup dans la figure...

Il se lève en sursaut.

— Qu'est-ce qui se passe ?

— Ce n'est que moi, je réponds, enfin libérée, tout en me cachant tant bien que mal sous le drap.

Me sens aussi à l'aise qu'un poisson pané dans un aquarium.

— Tu m'as fait une de ces peurs, me lance-t-il en se passant les mains dans les cheveux.

— Je te rassure, à moi aussi. Tu ne veux pas ranger ça ?

— Tu n'étais pas aussi prude cette nuit..., lâche-t-il, perfide, en attrapant un caleçon.

— Que s'est-il passé ?

Ne suis pas sûre de vouloir vraiment connaître la réponse...

— Mon amour..., s'attendrit ce grand jeune homme tout en muscles.

— Ton *amour* ???

Commence à entrevoir l'ampleur des dégâts.

— Tu étais plus chaleureuse cette nuit...

Vite, une diversion ! J'attrape mon iPhone et m'écrie :

— Les enfants, ils doivent se demander où je suis...

— Tu les as déjà appelés, poursuit le chasseur de cougars.

— Non !

— Si, si. Tu étais déjà un peu éméchée, et tu les as prévenus que tu ne rentrais pas.

— Je leur ai dit où j'étais ?

Crains le pire.

— Oui, me répond-il avec un sourire machiavélique.

Une bouffée de chaleur me monte au visage.

— Je dois rentrer.

Me précipite sous la douche, tandis qu'Antonio prépare un café. Mon attitude ne l'étonne pas plus que ça. Il a donc tellement l'habitude des mères de famille névrosées ? Ce type est un grand manipulateur, je songe avec une mauvaise foi à toute épreuve, tout en enfilant mes santiags.

— Il faut que tu oublies tout ça, je lui lance, menaçante. Je ne sais pas quoi au juste. Mais il faut que tu oublies, rien de ce qui s'est passé n'a n'existé... OK ? j'insiste comme pour m'en persuader moi-même.

Son sourire tranquille en dit long.

Maladroite, je l'embrasse sur la joue pour lui dire au revoir.

En sortant de chez lui, je me rappelle soudain la fameuse réplique de Marie-Thérèse, enceinte de six mois, dans *La vie est un long fleuve tranquille* : « J'vous jure, madame, j'ai pas couché avec un garçon... » Moi non plus, les enfants.

RÉCAPITULONS

Je n'ai pas trompé François. Il est parti avec une autre. En revanche j'ai l'impression d'avoir trompé mes enfants...

Est-ce normal, docteur ?

Coupable, moi ?

17 avril, 9 heures. Garance ne me croit pas une seconde lorsque je l'appelle pour lui conter le peu de souvenirs qu'il me reste de cette nuit.

— Arrête de jouer les innocentes. Tu te réveilles à poil avec un homme qui t'explique que tu étais plus chaleureuse deux heures avant, et tu veux me faire croire qu'il ne s'est rien passé ? À d'autres, Alice...

— Je te jure, je ne me souviens de rien...

— Ce n'est plus un inconscient que tu as, c'est une porte blindée ! C'est quoi ton problème ? Préserver à tout prix ton rôle d'épouse parfaite ? Ou qu'on ne t'imagine surtout pas en train de t'envoyer en l'air ?

Je masse mes tempes endolories.

— Garance, surtout ne m'imagine pas en train de m'envoyer en l'air, je t'en prie...

— Trop tard ! Tu as dû lui faire la totale, lance-t-elle, triomphante, comme si je venais d'agir au nom des « bombes sexuelles cuites à point ».

— Si vous êtes d'accord tous les deux pour dire que je suis un bon coup, alors...

— C'est évident, poulette ! À notre âge, on a l'expérience, l'envie, et un panneau lumineux qui nous indique bientôt la sortie de route, tu penses bien qu'on ne tergiverse pas ! poursuit mon amie sur sa lancée.

— Ta vie a l'air d'être intense, dis-je, soudain certaine que Garance a une sexualité d'enfer.

— N'inverse pas les rôles. C'est de toi qu'il est question ! me renvoie-t-elle dans mes filets.

Moi, le rouge aux joues :

— Et les enfants... Il paraît que je leur ai dit que j'étais avec Antonio... La honte !

— Ça ne les regarde pas ! Tu n'as pas de comptes à leur rendre. François est parti, tu es seule, ils se doutent bien que tu ne vas pas rentrer au couvent, m'assène-t-elle sans la moindre mauvaise conscience.

— Oui, enfin de là à faire des galipettes au bout d'un mois de séparation...

— C'est la vie !

— C'est la mienne aujourd'hui en tout cas. Je te laisse. J'arrive à la maison.

— Et surtout, surtout ne culpabilise pas, me rappelle Garance.

Sur la pointe des pieds, la gorge nouée, j'ouvre la porte. Deux bonobos gigotent devant la télé. Un nouveau jeu vidéo, je suppose. Je m'apprête à monter en cachette au premier lorsque Ethan me surprend :

— Mame, viens voir, pape nous a acheté la Kinect pour Xbox 360 ! C'est dar !

— Oui, crie Camille, sans cesser de gesticuler dans le vide.

— La quoi ?

— Laisse tomber...

— Papa est passé ?

— Oui, y a dix minutes. Il voulait te parler.

— Me... parler ? je répète, le cœur étreint en priant pour que les enfants n'aient rien dit sur la raison de mon absence un dimanche matin à 9 heures.

— Il a demandé où j'étais ?

— Non. Il t'a laissé un mot sur la table basse, répondent-ils en chœur sans même se retourner.

Je sursaute en voyant l'enveloppe, la prends comme une voleuse et monte au premier lire cette missive qui va, j'en suis intimement persuadée, changer le cours de ma vie. Dans ma tête tout se bouscule. Si je n'avais pas passé la nuit chez un inconnu, j'aurais vu François, j'aurais pu lui parler, essayer enfin de comprendre...

Que peut-il bien m'écrire ?

J'envisage le pire : il est d'accord pour divorcer, le plus vite possible pour épouser l'autre, qui est enceinte... À moins qu'il ne veuille partir à l'étranger avec elle. Elle, elle le suivra n'importe où parce qu'elle n'a pas peur de changer de vie, de tout recommencer. Elle est jeune et follement amoureuse de lui...

J'ouvre, tremblante.

« Alice, je sais, je suis conscient de l'immense effort que cela représente pour toi... Pourrais-tu une dernière fois réceptionner la livraison du Savour Club ? »

Je le hais. Enragée, je lui envoie un « Qu'est-ce que je t'ai fait pour que tu oses me laisser des messages pareils ? », en oubliant que cela fait deux fois qu'il fait un pas vers moi et qu'il se casse les dents.

RÉCAPITULONS

C'est quoi déjà la culpabilité ? Ah oui, ce fameux subterfuge pernicieux qui évite d'assumer ses actes. Et qui en toute bonne conscience me permet d'accuser l'autre de tous les maux... Merci, docteur, j'avais oublié.

Suis-je en voie d'extinction ?

17 avril, après-midi. Somatiser, moi ?

— Je ne peux pas parler, je chuchote à Garance.

Il aura fallu son appel en plein après-midi pour que je m'aperçoive de mon extinction de voix force 8.

— Tu somatises ! crie-t-elle pour compenser mon silence forcé.

— Arrête de hurler, je lui demande en écartant le mobile de mon oreille.

— Je ne voudrais pas faire de psychanalyse de comptoir, mais c'est ta voie que tu perds, baisse-t-elle d'un ton.

— Merci, je murmure, impuissante, j'avais compris.

— Non, ta voie, v-o-i-e, se remet-elle à hurler.

— Arrête de brailler, je croasse. Puis, après trente secondes de réflexion : Pas idiote, ta théorie...

— Fais chauffer de l'eau, ajoute trois citrons, gargarise-toi avec et mets une écharpe, me conseille-t-elle.

C'est un fait. Je me perds, m'égare. Reste à savoir si je n'ai pas simplement attrapé froid en dormant nue, par terre, chez un jeune homme. Ce que je tente de dire à Garance, sans forcer mes cordes sensibles.

— Oui, comme tes vertiges l'année dernière. Purement mécaniques, rien de psychologique, ironise-t-elle en me quittant.

Mon citron chaud à portée de main, je reprends la lecture de *Double faute* de Lionel Shriver, roman sur la lutte menée par une femme pour exister au sein de son couple. Elle aussi finit par perdre sa voie et provoque au passage la descente aux enfers de son époux.

Devrais éviter ce type de lecture par les temps qui courent. De toute manière, impossible de me concentrer.

Je repense aux vies des uns et des autres. À la course qui se déroule actuellement dans mon entourage. Cette frénésie, ces sursauts, ces changements radicaux. Comme si toutes ces années passées n'étaient qu'un brouillon, et qu'il ne fallait surtout pas, aujourd'hui, louper le coche.

Et moi, je vais louper quoi ? J'avale en grimaçant une gorgée de ma mixture. Trop acide.

Mon iPhone vibre. Quatre nouveaux textos qui me rappellent à la réalité. Le « J'ai mal partout et toi ? » d'Antonio me fait rire. Le « Alice, tu n'oublies pas mon mariage vendredi prochain ? » de Max me fait sursauter. Le « Mame, pape est encore amoureux de toi à mon avis ☺ » de Camille me fait verser une larme. Le « Désolé, ce message était ridicule, j'étais furieux de ne pas te trouver

à la maison. Je t'embrasse mon petit Mooglie »
de François me fait fondre.

RÉCAPITULONS

Viens de lire sur Internet un article intitulé
« Age and Happiness : The U Bend of Life » dans
The Economist. Son propos ? Démontrer que les
années les plus éprouvantes sont bientôt derrière
moi. C'est réjouissant, non, de savoir que le
meilleur est à venir ?

Amours contingentes
ou nécessaires ?

18 avril, à l'aube. François ou Antonio ? Les deux textos me troublent. Je m'empresse de bâtir une théorie me permettant d'avoir le beurre, l'argent du beurre et... le crémier ?

D'une voix grave, mais désormais audible, j'inonde Garance de mes pensées.

— Je suis toujours son petit Mooglie... Nous pourrions nous retrouver. Mais mon petit doigt me dit que nous n'avons pas l'un et l'autre épuisé la légèreté, le renouveau de nos aventures respectives. Certes, je déteste l'idée de mon mari avec une autre, et le regard amoureux d'Antonio m'intrigue. Je redécouvre l'Alice d'avant. Celle que j'avais fini par ranger sur une étagère trop haute pour y accéder. La sensation d'être une lycéenne. D'avoir la vie devant moi sans poids, devoirs, ni habitudes. J'imagine que François éprouve la même renaissance de son côté. Même nos enfants semblent comprendre. Nous ne sommes plus sur leur dos. Ils en profitent eux aussi pour grandir. Passer à autre chose. Nous savons tous les deux que chacun de nous est le grand amour de l'autre. Mais dans l'immédiat, nous avons besoin de nous ressourcer. De lâcher prise...

— C'est bien beau tout ça, mais ce n'est pas un peu risqué ? m'interrompt Garance qui m'écoute, les yeux écarquillés, partagée entre l'envie immédiate de suivre mon exemple et le sentiment que ce raisonnement théorique ne tient pas la route...

— Sartre et Beauvoir en ont bien fait une philosophie de vie, je réplique du tac au tac.

— Sartre et Beauvoir ! J'aurai tout entendu avec toi... Pourquoi pas Strauss-Kahn et Sinclair tant que tu y es ?

— Tu mélanges tout. Chez Sartre et Beauvoir, leur histoire commune les laissait libres d'obéir à leurs pulsions et d'entreprendre des histoires parallèles... Le monde de la raison *et* celui du vertige.

— Admettons. Quelle est la suite de ton programme ?

— Me laisser submerger par mes pulsions, je réponds, perfide.

— Nous v'là bien, se désespère Garance.

Max, lui, comprend parfaitement ma vision des choses, mais il y a un hic :

— Il faut établir la suprématie de la première histoire, la vôtre, au détriment des suivantes. Sinon la jalousie empoisonnera vos vies.

— Oui, il faut conclure un pacte.

— Tu n'es pas non plus obligée d'ériger en système une simple passade ! Tu peux aussi imaginer que vous avez tous les deux besoin d'un break, m'explique-t-il, plus prosaïque.

— Tu as raison, nous avons sans doute juste besoin de tester notre aptitude à séduire.

— Oui, comme moi avec Sandra et Luna...

— Ah ? Pas encore réglé ? Tu n'oublieras pas de venir à ton mariage quand même ?

— Non, j'ai même invité Sandra. Rien de mieux que de se confronter aux réalités !

Cette explication de texte me déculpabilise tout à fait quant à la suite des événements. À tort ou raison, je réponds à Antonio : « Moi je suis aphone. Plus l'habitude de dormir par terre. La prochaine fois j'apporterai mon pyjama ☺ »

La prochaine fois ?

RÉCAPITULONS

Besoin de légèreté. Comment pourrais-je m'en vouloir ?

Fatale érection !

Mardi 19 avril. Ce soir je sors. Et pas en jean et santiags. J'ai rendez-vous avec Antonio. Camille et
Ethan, ahuris, m'observent m'agiter devant ma pen-
derie.

Cherche ma magnifique panoplie Aubade...
Suis sûre qu'Antonio appréciera, lui. La voilà !

Camille n'en perd pas une miette, l'attrape vivement et énumère :

— Mini-culotte, soutien-gorge à balconnets,
bas et porte-jarretelles ! J'en avais jamais vu pour
de vrai ! Tu vas tourner un film porno ?

Préfère ne pas répondre à cette provocation en
bonne et due forme. Poursuis ma quête : robe
en cuir toute simple mais tellement sexy (jamais
portée), escarpins neufs (encore dans leur boîte),
puis tout haut :

— Ça vous plaît ?

— Même à Noël tu ne t'habilles jamais comme
ça ! Tu vas draguer ? s'enquiert Ethan, un peu
inquiet.

— Oui, maman a un copain, et comme par
hasard elle a envie de se faire belle, l'informe
Camille, ironique.

Me mords les lèvres puis attaque :

— Votre père aussi a une aventure, et ça ne vous dérange visiblement pas plus que ça ! Vous ne me l'aviez même pas dit !

— On ne voulait pas te blesser, répond aussitôt mon fils.

— Eh bien moi aussi j'ai besoin de me changer les idées !

— Et nous dans tout ça ? m'interroge ma fille, les lèvres pincées.

— Vous ? Depuis quand vous vous demandez ce que l'on fait ? je rétorque aux mutants bien que ce ne soit guère le moment. Vous n'êtes jamais là, vous vivez votre vie sans nous demander si on est d'accord… Et aujourd'hui vous voulez quoi, que je vous borde ?

Les deux malfrats n'en reviennent pas. Camille quitte la pièce en marmonnant :

— C'est pire que chez Margaux, ici !

Ethan lui emboîte le pas :

— C'est n'importe quoi cette famille.

— Camille !

— Quoi ? me répond-elle sèchement.

— Pardonnez-moi, mais ce n'est pas si simple.

— Laisse tomber, mame, je sais… Passe une bonne soirée… enfin une bonne nuit, me sourit-elle, malicieuse.

Antonio me fait une surprise. Il m'emmène au Batofar, où mon fils se produit de temps à autre avec son groupe, The Mad Sweepers. Je crains le pire.

J'ai raison : ses amis nous attendent.

— Tu aurais dû me prévenir, je me serais habillée autrement, je lui souffle en contemplant tous ces jeans slim et déchirés qui se trémoussent...

— Tu es superbe, me prend-il par la taille. Ne change rien.

M'installe au bar, commande une bière et essaie de faire comme si tout était normal. Impossible. Vingt ans nous séparent, et comme le disent fort justement Ethan et ses copains, je suis « la plus belle des mamans »...

Nous faisons tous comme si de rien n'était. J'hésite entre le tutoiement et le vouvoiement, redoute un « Bonsoir madame, vous êtes la mère d'Antonio ? ». Mais apparemment, il leur a fait la leçon. Heureusement, la musique m'évite de faire la conversation. Je sors prendre l'air.

Me vengerai. Next time, je lui ferai le coup, à Antonio, de le plonger dans le monde du troisième âge...

Trois bières plus tard, chez lui.

Frétillant, Antonio me montre la couette Pyrenex duvet d'oie argentée 300 grammes au mètre carré qu'il a achetée « rien que pour moi ». Touchante attention. Me prend-il pour sa grand-mère ?

La température monte brutalement lorsqu'il me renverse sur le lit, me déshabille et découvre ma tenue. Barbie allume Ken.

Même moi, suis surprise par le climat tropical qui s'abat sur nous. J'ai hâte qu'il me prenne, là, tout de suite ! Il n'a même pas le temps d'enlever son caleçon qu'il éjacule bruyamment, puis retombe la tête dans la couette. Crise cardiaque ? Le secoue, effrayée.

— Antonio ? Ça va ?

Pas de réponse.

Je hurle son prénom.

Il revient peu à peu à lui... épuisé.

— Je me suis encore évanoui ? me demande-t-il, hébété.

— Oui, tu as crié, joui avant de plonger, tête la première, dans la couette... Ça t'arrive souvent ?

— À chaque fois que je suis très excité...

— Tu n'as pas intérêt à être seul quand tu as ce type de malaise, je dis trop tard, en songeant à ce que mes paroles sous-entendent...

Je devrais être flattée. Jamais je n'avais pensé produire un tel effet sur un homme !

Garance se tient les côtes de rire.

— Un éjaculateur précoce... qui tombe dans les pommes en plus... Ma pauvre...

— Ça va, ça va ! je grogne en tentant de garder mon sérieux. Tu imagines ma tête !

— Vous êtes faits l'un pour l'autre, poursuit Garance, qui ne parvient plus à reprendre son souffle. Une nuit, c'est toi qui ne te souviens de rien, la suivante, c'est lui qui s'évanouit...

THE couple.

RÉCAPITULONS

L'épisode Antonio se fond dans le paysage, et la vie suit son cours. Mon mari n'a plus de fiancée, si j'en crois les messages qu'il me laisse. Max épouse Luna très bientôt, à moins qu'il récidive avec Sandra... Sonia, enceinte de quatre mois, se sépare bien de Yann, et a besoin de nous pour son déménagement. Claire a enfin un amoureux, « un vieux beau, m'a-t-elle expliqué, dont je suis folle ». Stéphane et Rodrigo se pacsent en grande pompe. Fanny, fraîchement divorcée, vient de tomber amoureuse d'une « femme excep-tio-nnelle ! Qui aurait pu imaginer que j'étais bi ? Les enfants ? Ils adorent Adèle ! » Etc.

Seules Garance et Delphine se tiennent tran-quilles. Elles font sans doute partie des 10 % de personnes qui échappent à la fracassante crise de la quarantaine...

Et moi ? Plus rien ne m'étonne. Enfin presque.

C'était en 1984, l'année du bac ?

23 avril. Tout est bien qui finit bien ? Le mariage de Max est une réussite. Même si l'élue est trop jeune, trop belle et trop intelligente. Nobody's perfect.

La famille de Max (dix frères et sœurs et les multiples enfants qui vont avec), la bande de toujours, élargie aux nouveaux venus, et quelques top models, égarées là comme des gazelles au milieu d'un troupeau d'éléphants...

— Dis-moi, c'est qui ces bombes, Alice ? me demande l'homme de Garance, les yeux braqués sur des paires de jambes de 1,10 mètre.

— Range tes yeux, Victor, elles ont l'âge de ton fils, je réponds sans même jeter un œil.

Je dois avoir « renseignements » marqué sur le front parce que c'est Garance maintenant qui m'interroge :

— Mais c'est qui ces grandes bringues, il y a un défilé Elite ici ? Ils auraient pu prévenir, j'aurais mis des talons.

Préfère ne pas répondre. Vais finir par devenir désagréable.

Puis c'est le tour de Stéphane, venu sans Rodrigo :

— Alice, ces filles sublimes sont des amies de Max ?

— Pourquoi ? Tu as décidé de réintégrer la congrégation des hétéros ?

— Figure-toi que je ne suis pas sectaire..., me glisse-t-il à l'oreille.

— Super ! je feins, craignant le pire...

— Au fait François, poursuit-il sur le ton de la confidence, il est de plus en plus beau... J'ai appris que vous n'étiez plus ensemble ?

Je le fusille du regard, le plante là pour rejoindre Sonia.

— Je ne sais pas ce qu'ils ont tous aujourd'hui, je lui confie, on dirait qu'ils n'ont jamais vu des filles de 1,80 mètre !

— C'est vrai qu'elles sont vachement grandes !

Puis Max (1,70 mètre à tout casser), qui vient de saluer « tendrement » Sandra (je le comprends à son regard chaviré et au petit regard complice qu'il me lance), court vers ces grandes filles toutes simples qui lui tombent littéralement dans les bras.

— Oh, Max, tu es magnifique !

— Vous aussi les filles, vous êtes belles à tomber. Laissez-moi vous présenter à mes vieux amis.

Merci Max...

Je serre les mains de Tamara, Lila, Éva, les amies de Luna. Leurs prénoms en A (quand je vous dis que c'est générationnel) gravés à jamais dans mon cerveau.

Sonia, Garance, Delphine, moi et les autres sommes fixés : les grandes tiges ne font malheureusement pas partie d'un autre convoi...

Tandis que les hommes jappent des « Enchanté, vous c'est Tamara, et vous alors c'est Lila », nous, les femmes d'âge mûr, grognons. Moi en particulier. C'est sorti tout seul.

— Je crois que je vais mettre une croix sur nos prochaines vacances avec Max...

Sonia et Garance pouffent. C'est nerveux.

— Tu as raison, ça ne va pas être possible. Ou alors il faudra éviter d'aller sur les mêmes plages, suggère Sonia.

J'aperçois soudain François qui discute au loin avec l'un des frères de Max. Élégant, discret... Il m'aperçoit enfin, me fait un petit salut. Je le lui retourne, intimidée.

Et puis Luna, trop tout, arrive, consciente de l'électricité qu'elle dégage. Campée sur ses escarpins rehaussés par des stilettos de 10 centimètres, elle tourne sept fois sa langue dans la bouche d'un Max submergé mais comblé.

Lorsque l'adjoint au maire (c'est toujours la doublure qui unit les couples) demande : « Luna Season, née le 18 juin 1984, acceptez-vous de prendre pour époux Maxime Sarc ? », nous nous retournons brusquement les unes vers les autres : oui, c'est bien en 1984 que nous avons passé le bac...

La suite des événements nuptiaux se déroule au bois de Vincennes. Max a fait les choses en grand. Le buffet est à la hauteur de la fille qu'il épouse. L'ambiance, très joyeuse. Quand la musique démarre, je tente plusieurs excuses bidon du type « Non, les talons », « Non, ma robe ». Ne vais quand même pas me ridiculiser au moment où François me fait clin d'œil sur clin d'œil, que je lui rends bien...

Tous mes refus s'avèrent inutiles. Il *faut* danser. À contrecœur, je me dirige vers la piste en tirant sur ma robe en cuir étrennée très récemment, et surtout choisis l'endroit stratégique : le plus loin possible de Luna et ses trois copines.

Mais impossible d'éviter la fameuse farandole où tout le monde se tient la main. Luna et Lila jettent leur dévolu sur moi, et je me retrouve coincée entre les deux asperges. En deux minutes, projetée en l'air par ces deux bras qui tiennent fermement les miens, je suis obligée de suivre le mouvement sous peine d'être écrasée par deux cents pieds. Je croise les regards amusés de Delphine et François qui applaudissent à tout rompre sur le bord de la piste.

De là-haut (oui, c'est haut 1,80 mètre), je contemple la situation : Stéphou et Sandra sont en pleine conversation ; Victor et Garance s'insultent pour changer ; Sonia caresse son ventre arrondi en parlant au nouveau couple de tourterelles Fanny et Adèle ; Claire, ma copine journaliste quadra qui veut un bébé à tout prix, embrasse à pleine bouche son vieux beau qui...

— Mais je le connais ! je m'exclame en m'extirpant enfin de cette foutue farandole. Garance, c'est pas Pierre Arditi le type qui embrasse ma copine ?

— Oui, c'est ce que je me disais aussi... Il est vraiment beau ! confirme Garance, sous le charme.

— Pour quelqu'un qui n'arrive pas à se dégotter un mec, elle se débrouille super bien ! je constate, un poil jalouse.

— Mais Arditi, il n'est plus avec Évelyne Bouix ? s'enquiert Sonia qui s'est approchée de nous.

— On s'en fout ! C'est pas notre copine..., décrète Garance, la bave aux lèvres.

— Il est magnifique, se pâme Delphine.

— Il n'y a pas à dire, acquiesce Sonia, les hommes vieillissent super mieux que nous.

— Tu crois qu'il ne se fait rien lui ?..., je demande, dubitative.

— Non, je le vois mal..., réplique Delphine qui a l'œil.

— En même temps, c'est impossible à voir... Ils ne se font pas la bouche en canard, eux... C'est comme BHL, au pire, il se botoxe..., je réfléchis tout haut.

— En tout cas, les filles, ils n'ont pas les mêmes médecins que leurs gonzesses, Évelyne et Arielle, vitupère Garance, impitoyable...

— Quand je vous dis que les hommes vieillissent vraiment mieux que nous, les salauds !

10015

Composition
NORD COMPO

Achevé d'imprimer en Slovaquie
par NOVOPRINT SLK
le 4 juin 2012

Dépôt légal juin 2012.
EAN 9782290042137
L21EPLN001092N001

ÉDITIONS J'AI LU
87, quai Panhard-et-Levassor, 75013 Paris

Diffusion France et étranger : Flammarion